Vengo a Sanar

PADRE DARÍO BETANCOURT

Vengo a Sanar

México
2013

Dedicatoria

A la memoria santa de mis padres Eduardo y Carlota,
instrumentos de Dios para darme la vida.

Mi sacerdocio es una flor
que se levanta de sus tumbas
alimentada con la sustancia de sus santas cenizas.

A través de Dios va para ellos
mi recuerdo agradecido.

"Dales Señor, el descanso eterno
y que brille para ellos la luz perpetua".

CONTENIDO

PRESENTACIÓN

Dios, en su plan de salvación ha querido asociar a los hombres como colaboradores de su obra liberadora. Toda la historia de la salvación está marcada por esta constante:

- Dios escoge literalmente a colaboradores como Abraham para una misión.

- Llama de manera irresistible a los pescadores del lago, para convertirlos en pescadores de hombres.

- Purifica a Moisés en la soledad del desierto y se le revela cara a cara.

- Unge a Pablo de Tarso con el poder Espíritu.

- Envía a los 72 discípulos a cumplir una misión.

Dios elige vasos de barro porque él es capaz de transformar el agua de las limitaciones humanas en generoso vino que produce la alegría de la salvación. Su autoridad inagotable es capaz de multiplicar los cinco panes y dos peces en un alimento que alcance para multitudes, y aún sobre.

Sin embargo, lo más asombroso es que el pan de su Palabra y el vino de su Sangre también los ha querido seguir distribuyendo a lo largo de las coordenadas del tiempo y del espacio a través de quienes han sido "tomados de entre los hombres y puestos en favor de los hombres para ofrecer dones y sacrificios a Dios por los pecados". He allí, la esencia del "sacerdocio ministerial" ministros de la nueva alianza, no de la letra que mata, sino del espíritu que da vida.

Este XXV aniversario del ministerio sacerdotal del Padre Darío no es sino un himno de alabanza de todos los que somos testigos de la fidelidad de Dios que una vez más nos confirma que sus dones son sin arrepentimiento.

Todos juntos formamos una gran sinfonía de acción de gracias a Aquel que en su sabiduría y amor quiso asociar a los hombres para salvar a los hombres.

Cuando ya los días no cuenten ni las estaciones indiquen los años porque ya participamos de la eternidad de Dios, allí estará el Padre Darío, en la melodía armónica con todos los que lo amamos, entonando un canto que una amiga suya compuso: "El poderoso ha hecho en mí maravillas. Santo es su nombre".

Este libro es como un pan puesto en las manos de Jesús, para que lo purifique, bendiga y multiplique. Es una tinaja llena de agua hasta arriba, porque sabemos que el Espíritu de Jesús resucitado que habita en su Iglesia lo va a convertir en instrumento de sanación para su pueblo que tiene hambre y sed de la salvación que viene de arriba.

Estamos seguros que estas líneas, fruto de la fecundidad del ministerio de Jesús, serán una bendición para el pueblo que camina rumbo a la tierra prometida, donde no habrá luto ni llanto.

La mejor manera de celebrar este XXV aniversario es entonar la voz, pero sobre todo purificar el corazón, para alabar y glorificar a Aquel que tiene poder para realizar la vida y el ministerio del Padre Darío incomparablemente mejor de lo que nosotros podemos pedir o pensar.

José H. Prado Flores.
Guadalajara, Jal., 15 mayo de 2013

INTRODUCCIÓN

Después de una madura reflexión y un mayor crecimiento en el Señor, publico este libro revisado, corregido y ampliado.

Estamos viviendo una época privilegiada del Espíritu donde se vuelven a repetir los prodigios del primer Pentecostés. El Señor ha extendido su mano poderosa para realizar signos, prodigios y milagros. Nosotros somos testigos oculares y en estas páginas queremos demostrar que su poderío no se ha agotado, ni su brazo poderoso se ha acortado.

Jesús ha venido a curar a los enfermos y lo sigue haciendo en el presente porque Él es el mismo ayer, hoy y siempre.

A todos los acontecimientos aquí relatados les damos el sencillo nombre de "bendiciones". No queremos hacer uso de la palabra "curaciones" para que no nos caigan encima los médicos, quienes a veces nos llaman "curanderos" por estar viendo curaciones por todas partes. Mucho menos usar la palabra "milagros" para no ganarnos los ataques y críticas de algunos sacerdotes y obispos, quienes a veces nos creen tan ingenuos que llamamos milagro a lo más simple. Creemos que "bendiciones" es una palabra intermedia y puede cubrir tanto lo uno como lo otro.

Estas bendiciones de Dios siempre han existido desde el principio de la Iglesia aunque aparecen de una manera más abundante en algunos lugares como Lourdes, Fátima, Guadalajara, etc. Este ministerio que parecía limitado a algunas partes y santuarios, hoy se difunde abundantemente en toda la Iglesia y por todas partes del mundo.

El Papa Pablo VI, el 16 de octubre de 1974, nos subraya el papel de los carismas en la evangelización:

Pero ahora yo diría que la curiosidad -pero es una curiosidad muy legítima y muy hermosa- se fija en otro aspecto. El Espíritu Santo cuando viene otorga dones. Conocemos ya los siete dones del Espíritu Santo. Pero da también otros dones que ahora se llaman, bueno ahora... siempre se han llamado carismas. ¿Qué quiere decir carisma? Quiere decir don: quiere decir una gracia. Son gracias particulares dadas a uno para otro, para que haga el bien. Uno recibe el carisma de la sabiduría para que llegue a ser Maestro, y otro recibe el don de los milagros para que pueda realizar actos que, a través de la maravilla y la admiración, llamen a la fe, etc.

Ahora, esta forma carismática de dones que son dones gratuitos y de suyo no necesarios, pero dados por la sobreabundancia de la economía del Señor, que quiere a la Iglesia más rica, más animada y más capaz de autodefinirse y autodocumentarse, se denomina precisamente "la efusión de los carismas". Y hoy se habla mucho de ello. Y, habida cuenta de la complejidad y la delicadeza del tema, no podemos sino augurar que vengan estos dones, y ojalá que con abundancia. Que además de la gracia haya carismas que también hoy la Iglesia de Dios puede poseer y obtener.

El Señor dio esta, llamémosla gran lluvia de dones, para animar a la Iglesia, para hacerla crecer, para afirmarla, para sostenerla, y después la economía de estos dones ha sido, diría yo más discreta, más... económica. Pero siempre han existido santos que han realizado prodigios, hombres excepcionales que han existido siempre en la Iglesia. Quiera Dios, que el Señor aumentase todavía mas una lluvia de carismas para hacer fecunda, hermosa y maravillosa a la Iglesia, y capaz de imponerse incluso a la atención y al estupor del mundo profano, del mundo laicizante".

Este deseo del Papa, se ve abundantemente cumplido por todas partes.

Desde que fui ordenado sacerdote, constaté como Dios realizaba curaciones sorprendentes en diferentes áreas de la vida de las personas. Por eso, cuando conocí la Renovación Carismática no me fue difícil aceptar que Dios sanaba, pues era realmente lo que yo había experimentado desde los primeros años de mi sacerdocio.

El doctor William Parker en su libro "La Oración en la Psicoterapia" nos cuenta:

Un famoso médico, profesor de ética social en la Escuela de Medicina de Harvard, afirma que el 75% de la labor curativa de los médicos podría hacerla un pastor religioso.

Muchos médicos internistas consideran que del 50 al 75% de los pacientes que solicitan tratamiento médico no sufren orgánicamente. En tales casos se pueden aliviar sólo los síntomas. Una curación permanente en el campo de la medicina psicosomática implica el tratamiento de todo el hombre, cuerpo, mente y espíritu.

Lo que pretendo compartir en este libro es mi testimonio del poder de Dios y también ofrecer algunas ideas para que el lector aprenda a orar de una manera más eficaz por la sanación interior y física de las personas que encuentran aquejadas de alguna dolencia.

Comparto en la fe lo que he visto, oído y tocado. Probablemente, muchos de los acontecimientos aquí relatados puedan tener otra explicación, pero yo lo hago iluminado por mi fe y desde aquí debe considerarlo el lector.

Con el título que he dado a este libro: "Vengo a Sanar", trato de explicar algo de lo mucho que era el ministerio pastoral de Jesucristo. Hoy como entonces se cumple lo que dijo:

No necesitan médicos los que están fuertes,
sino los que están mal...
no he venido a llamar a justos, sino a pecadores:
Mt 9,12-13.

Debo un profundo agradecimiento a todas las personas que me animaron a escribir este libro y me ayudaron con sus experiencias: a la misionera seglar Blanca Ruiz, que con un gran carisma de sanación interior me ha aportado muchas ideas para este libro. A mis hermanos sacerdotes Salvador Carrillo y Diego Jaramillo que me han asesorado en la parte teológica.

Muy especialmente, mi agradecimiento a Pepa Medina y Cecilia Muñoz por las interminables horas que emplearon en la transcripción de los manuscritos. Gracias a José H. Prado Flores por su ayuda a la redacción final. Pero, sobre todo mi agradecimiento a Dios por ayudarme a ver salir a la luz este libro para la gloria de su nombre.

En algunos testimonios he cambiado el nombre de las personas para no afectar a nadie.

Por otro lado, he separado los temas de María y los sacramentos fuentes de salud que aparecen en otro libro: "Fuentes de Sanación".

Declaro que todos los testimonios que aparecen en este libro tienen fe puramente humana y me someto completamente al discernimiento de la Santa Iglesia Católica de acuerdo con la orden del Papa Urbano VIII.

Fiesta de la Inmaculada Concepción
de la Virgen María.

I
DIOS NOS QUIERE SANOS

Hay muchos cristianos en el mundo que están absolutamente convencidos de que Dios los quiere enfermos y afligidos. Ellos confunden lo que es la voluntad de Dios con lo que Él usa para su gloria, pero la enfermedad no es su voluntad. Se puede afirmar de manera inequívoca que en ningún momento Jesús trató de animar a las personas para que estuvieran enfermas, permanecieran afligidas, o sufrieran enfermedades, a fin de que la voluntad de Dios fuera hecha.

La voluntad de Dios es que todos estemos sanos en el espíritu, en el cuerpo y en el alma. Por lo tanto, pedir la curación no es pedir contra su voluntad. Si fuera así, ¿por qué entonces acudir al médico y tomar medicinas?

Si la voluntad de Dios es que la enfermedad se apodere de una persona, entonces los médicos y las medicinas no tienen razón de ser y lo que éstos hacen sería ilógico, porque iría contra el designio divino.

En la plenitud de los tiempos el Padre envía a su Hijo al mundo para salvar a todos los hombres y a todo el hombre.

Le pondrás por nombre Jesús,
porque él salvará a su pueblo de sus pecados:
Mt 1,21.

Jesús que quiere decir "salvador", "salvación", es enviado precisamente a liberar y a sanar. Los ángeles anunciaron: *"Hoy les ha nacido un Salvador"* (Cf. Lc 2,11).

Jesús, consciente de su misión salvadora de todo el hombre, llegó a Nazaret, entró en la Sinagoga, y se puso de pie para leer las Escrituras. Le dieron el libro del Profeta Isaías y cuando lo abrió, encontró el lugar donde estaba escrito:

El Espíritu del Señor está sobre mí, porque me ha ungido:
- *para dar buenas noticias a los pobres:*
- *para sanar a los afligidos de corazón;*
- *para anunciar a los presos la libertad;*
- *para dar vista a los ciegos;*
- *para poner en libertad a los oprimidos:*
  Lc 4,16-19.

En este pasaje el Señor Jesús expone su programa evangelizador, algo así como el político que expone el plan que llevará a cabo durante los años de su gobierno. En su plan aparecen cuatro objetivos que se propone realizar.

- Liberar y sanar del pecado: Me ha ungido para dar buenas noticias y liberar a los presos.

- Liberar y sanar de las enfermedades espirituales: miedo, odio, remordimientos y complejos; para sanar a los afligidos de corazón.

- Liberar y sanar de las enfermedades físicas: para dar vista a los ciegos.

- Liberar y sanar de las influencias diabólicas: para liberar a los oprimidos.

A. ANTIGUO TESTAMENTO

Si Jesús, Profeta del Padre, expone y proclama una sanidad completa para el hombre es porque ya desde el Antiguo Testamento, Dios venía curando a su pueblo; se puede ver en los siguientes textos, en donde aparecen los cuatro tipos de curaciones que Dios realiza.

Yo soy YHWH el que te sana:
Ex 15,26.

Así como Dios le dijo a Moisés: "Yo soy el que soy" aquí afirma: "Yo soy el que sana" como si el ser de Dios fuera sanar, ya que sanar es sinónimo de salvar.

Él sana a los de corazón roto
y venda sus heridas:
Sal 147,3.

¡Y con todo eran nuestras dolencias las que él
llevaba y nuestros dolores los que soportaba!
Nosotros le tuvimos por azotado,
herido de Dios y humillado.
Él ha sido herido por nuestra rebeldías,
molido por nuestras culpas.
Él soportó el castigo que nos trae la paz,
y con sus llagas hemos sido curados: Is 53,4-5.

Yo sanaré su infidelidad,
los amaré graciosamente: Os 14,5a.

Otros textos muy ricos que conviene leer son los siguientes: Ex 23,25; Dt 7,15; Num 21,9; Jb 5,18; Sal 30,3; 107,6-20; Jr 30,17; 33,6; Os 6,1; 7,1.

De una manera especial el capítulo 38 del libro del Eclesiástico es muy abundante en enseñanzas prácticas de cómo el Señor nos sana.

Conclusión

De la visión general de los textos del Antiguo Testamento podemos concluir, sin ninguna duda, que Dios nos quiere sanar y que los cuatro tipos de curaciones que hace, aparecen de una manera clara o menos clara en éstos textos.

B. NUEVO TESTAMENTO

Así como hay muchos pasajes donde Jesús cura individuos, existen otros muchos textos donde aparece su deseo de sanar completamente al hombre y a todos los hombres.

El Señor Jesús empleó mucho tiempo de su ministerio curando almas y cuerpos.

a. Jesús sana del pecado

Pues para que sepan que el Hijo del hombre
tiene en la tierra poder de perdonar pecados,
-dijo al paralítico- A ti te digo, levántate,
toma tu camilla y vete a tu casa: Lc 5,24.

Manifiesta con frecuencia su poder divino ante todo para perdonar, lo que equivale a sanar del pecado.

Y le dijo a ella:
"Tus pecados quedan perdonados": Lc 7,48.

Si la pecadora pública amó mucho, es porque se le había perdonado mucho. La iniciativa no parte del hombre sino de Dios que obra misericordia. San Agustín confirma esto diciendo que al fariseo no se le podía perdonar mucho, porque se creía justo; a la inversa de la pecadora, él pensaba deber poco y entonces, claro está, nunca podría llegar a amar mucho.

b. Jesús sana interiormente

- Sana del *miedo*

Un pasaje muy hermoso lo encontramos en la tempestad. Jesús primero les quita el miedo y luego calma la tempestad (Cf. Mt 8,23-27). También vale la pena ver la sanación que el Señor Jesús hizo a los apóstoles, quienes por miedo a los judíos tenían las puertas cerradas (Cf. Jn 20,19). Ya sanados, Pedro defiende a Jesús ante los judíos cuando en su propia cara les dice que ellos lo mataron (Cf. Hech 2,23). Es admirable ver a Pedro testificando con valentía, cuando fue incapaz de hacerlo antes delante de una mujer y lo negó tres veces (Cf. Jn 18,17).

Nicodemo tenía miedo a los demás. Su posición pública no le dejaba libertad para declararse de forma abierta a favor de Jesús; por eso lo visitaba de noche (Cf. Jn 3,1) pero fue sanado de ese temor y llega a defenderlo ante las mismas autoridades religiosas (Cf. Jn 7,50-51) y luego hasta se atreve a pedir a Pilato el cuerpo muerto del crucificado para darle sepultura (Cf. Jn 19,39-40).

- Sana del *odio*

Entre judíos y samaritanos, existía un odio racial a tal punto que no se hablaban. Jesús llegó al pozo de Jacob y se encontró con la samaritana, quien al darse cuenta que Jesús era judío le reclama por su atrevimiento pero Jesús dialoga dulcemente con ella y la sana hasta el punto que lo admira (Cf. Jn 4,1-42).

- Sana del *remordimiento*

Cuando Pedro negó a Jesús se llenó de remordimiento y lloró con amargura (Cf. Lc 22,62). Pero Jesús sanó cada una de las tres negaciones con una triple profesión de fe (Cf. Jn 21,15-19).

San Agustín dice: *"No te entristezcas, oh apóstol. Responde una primera, una segunda, una tercera vez. Venza tres veces en el amor el testimonio, como la presunción fue tres veces vencida por el temor. Debe ser tres veces desatado lo que has atado tres veces. Desata por medio del amor lo que habías atado por temor".*

- Sana del *amor al dinero.*

Zaqueo era un hombre rico y jefe de publicanos (lo que equivalía a pecador público). Al encontrarse con Jesús es sanado de la ambición al dinero y reparte la mitad de lo que tiene a los pobres y con la otra mitad devuelve cuatro veces más a quien había defraudado. Fue tal la sanación de Zaqueo que Jesús declaró:

Hoy ha llegado la salvación a esta casa...
pues el Hijo del hombre a venido a buscar
y salvar lo que estaba perdido: Lc 19,9-10.

c. Jesús sana físicamente

Los hebreos del tiempo del Señor Jesús no dividían al hombre en una parte espiritual y otra corporal, sino que el ser humano constituía una unidad indivisible. Por esto, cuando leemos en la Sagrada Escritura "salvar" entendemos también "sanar". Jesús sana y salva el alma y sana y salva el cuerpo.

Aparte del ya citado pasaje de Lucas 4,18, en donde leemos los fines y motivos de su venida: porque el poder de Dios se manifestaba en él sanando a los enfermos (Cf. Lc 5,17) existen otros muchos textos al respecto.

Recorría Jesús toda Galilea,
enseñando en sus sinagogas,
proclamando la Buena Nueva del Reino
y curando toda enfermedad
y toda dolencia en el pueblo:
Mt 4,23.

El Señor Jesús pasó su vida predicando y sanando. No predicaba sin sanar, ni sanaba sin predicar. Ejercía estos dos ministerios respaldados el uno con el otro.

Al atardecer, le trajeron muchos endemoniados;
él expulsó a los espíritus con una palabra,
y curó a todos los enfermos: Mt 8,16.

Esto sucedió para que se cumpliera lo que anunció el Profeta Isaías:

Él tomó nuestras flaquezas
y cargó con nuestras enfermedades: Is 53,5.

Venid a mí todos los que están fatigados
y sobrecargados, y yo les daré descanso:
Mt 11,28.

Su fama se extendía cada vez más
y una numerosa multitud afluía para oírle
y ser curados de sus enfermedades: Lc 5,15.

Si alguno oye mis palabras y no las guarda,
yo no le juzgo, porque no he venido para juzgar
al mundo, sino para salvar al mundo: Jn 12,47.

Porque tanto amó Dios al mundo
que dio a su Hijo único,
para que todo el que crea en él no perezca,
sino que tenga vida eterna: Jn 3,16.

Se refleja aquí todo lo que el Apóstol entendió de lo que había sido la venida de su Maestro: sanar y salvar.

Otros textos muy ricos sobre el ministerio de curación y evangelización de Jesús: Mt 9,10-13; 12,15; 14,14; 15,30-31; Mc 1,32-34; 6,55-66.

d. Jesús sana de las influencias diabólicas

Este punto se tratará ampliamente en el Capítulo 10 (Pág. 169).

e. Jesús compartió su ministerio de sanación con sus doce apóstoles

*Convocando a los Doce, les dio autoridad
y poder sobre todos los demonios,
y para curar enfermedades: Lc 9,1.*

*Vayan proclamando que el Reino de los Cielos
está cerca. Curen enfermos, resuciten muertos,
purifiquen leprosos, expulsen demonios.
Gratis lo recibieron; dénlo gratis: Mt 10,7-8.*

En los dos textos anteriores puede verse con claridad que el Señor entregó esta autoridad a sus doce apóstoles, y por lo tanto a quienes participan de esa misión, es decir, obispos y sacerdotes. Por esta razón, todos los ministros de la Iglesia, por el ministerio del Orden Sacerdotal, han recibido el poder sanador de Jesucristo en todas sus formas y aspectos.

El Dr. William Parker, en su libro "La Oración en la Psicoterapia", probó con rigor científico el poder de la oración, especialmente de la oración hecha por un sacerdote o ministro de la Iglesia. Él concluye que nadie es un instrumento tan idóneo para este ministerio como un sacerdote o ministro.

*San Agustín, que por un tiempo negó la existencia de
este ministerio, cuando fue nombrado Obispo de Hipo-
na, observó que muchas curaciones se efectuaban por
su ministerio; entonces se retractó y dijo que tal ministerio existía todavía.*

A pesar de todo, es difícil que los mismos sacerdotes se convenzan que su ministerio implica el
poder sanador de Jesús. En la medida que lo crean
verán la gloria de Dios.

f. Jesús compartió su ministerio de sanación con sus discípulos

*Después de esto, designó el Señor a otros 72,
y los envió de dos en dos delante de sí,
a todas las ciudades y sitios a donde él había de ir.
Y les dijo: En la ciudad en que estén
y los reciban, coman lo que les pongan;
curen los enfermos que haya en ella,
y díganles: "El Reino de Dios
está cerca de ustedes": Lc 10,1.8-9.*

Sus discípulos eran gente que le seguía y que estaban cerca de él, pero que no pertenecían al grupo
de los doce apóstoles. En estos discípulos están re-
presentados todos los que creen en Jesucristo, es decir, todos los bautizados.

*Para quienes hemos renacido por medio del santo bau-
tismo este alimento constituye nuestro mayor gozo,
pues él nos aporta ya los primeros dones del Espíritu
Santo, haciéndonos penetrar en la inteligencia de los
misterios divinos y en el conocimiento de las profecías;
este alimento nos hace hablar con sabiduría, nos da la
firmeza de la esperanza y nos confiere el don de cura-*

ciones. Estos dones nos van penetrando, y son como gotas de una lluvia que va cayendo poco a poco para que luego demos fruto abundante.

S. Hilario, *Comentario sobre los Salmos.*
Sal 64,14-15.

Por tanto, de una manera u otra, estamos llamados a ejercer el carisma de la sanación. Podemos elevar una oración por la salud de nuestros hermanos, aunque al ejercicio de este ministerio solamente algunos son llamados de una manera más plena, como leemos en su Palabra:

A otro, carismas de curaciones,
en el único Espíritu; ¿Acaso todos son apóstoles?
O ¿todos profetas? ¿Todos Maestros?
¿Todos con poder de milagros
y así los puso Dios en la Iglesia,
primeramente como apóstoles,
en segundo lugar como profetas;
en tercer lugar como Maestros;
luego, los milagros;
luego, el don de las curaciones,
de asistencia, de gobierno, diversidad de lenguas.
¿Tienen todos carisma de curaciones?:
1Cor 12,9.28-30.

g. Apóstoles y discípulos ejercieron el don de curación

Y, yéndose de allí predicaron que se convirtieran;
expulsaban a muchos demonios,
y ungían con aceite a muchos enfermos
y los curaban: Mc 6,12-13.

Regresaron los 72 alegres, diciendo:
"Señor, hasta los demonios se nos someten
en tu nombre": Lc 10,17.

Ellos salieron a predicar por todas partes,
colaborando el Señor con ellos
y confirmando la Palabra con las señales
que la acompañaban: Mc 16,20.

La Iglesia de los primeros tiempos estaba convencida de que había recibido "autoridad y poder" para sanar y por eso oraban pidiendo más este carisma.

Y ahora, Señor, ten en cuenta sus amenazas
y concede a tus siervos que puedan predicar
tu Palabra con toda valentía,
extendiendo tu mano para realizar curaciones,
señales y prodigios por el nombre de tu santo
siervo Jesús: Hech 4,29-30.

Vale la pena leer despacio el libro de los "Hechos de los Apóstoles" que más bien debería llamarse "Hechos del Espíritu Santo", para ver todo lo que él hizo por medio de los apóstoles y discípulos.

¿Está enfermo alguno entre ustedes?
Llame a los presbíteros de la Iglesia,
que oren sobre él y le unjan con óleo
en el nombre del Señor,
y la oración de la fe salvará al enfermo,
y el Señor hará que se levante,
y si hubiera cometido pecados,
le serán perdonados.
Confiesen, pues, mutuamente sus pecados
y oren los unos por los otros,

para que sean curados.
La oración ferviente del justo
tiene mucho poder:
St 5,14-16.

Conclusión

Así como de los textos del Antiguo Testamento dedujimos que Dios nos quiere sanos, también de los textos del Nuevo Testamento podemos concluir que la voluntad de Dios es que estemos sanos.

C. MÉDICOS

En la Renovación Carismática se están descubriendo personas a quienes Dios utiliza para el ministerio de la sanación. Estas personas han recibido el don de la curación, y al descubrir esta capacidad y ponerla en práctica, se forma el ministerio de la sanación.

El don de la sanación lo ejercen los bautizados de muy diversas maneras y en diferentes grados. Lo ejercen los esposos cuando oran entre sí, los padres con los hijos, etc., pero de una manera muy especial están llamados al ministerio de la curación los médicos, ya que participan de este carisma por el bautismo, por la ciencia adquirida en la universidad y por un llamado muy especial de Dios a curar el dolor humano.

Cuando un médico en el ejercicio de su profesión, añade el don de la fe a los conocimientos médicos que ya posee, se convierte en un instrumento maravilloso en las manos de Dios. Conozco muchos profesionales que están viviendo esta nueva dimensión en sus vidas, con abundantes bendiciones del Señor, como son los miembros de la Asociación de Terapeutas Cristianos.

El Decreto Conciliar "Presbiterorum Ordinis" No. 9 dice: "Los sacerdotes, con espíritu de fe:

- Descubran los multiformes carismas de los laicos.
- Reconózcanlos con gozo.
- Foméntenlos con diligencia".

En estas normas dadas por el Concilio, los sacerdotes debemos ver el llamado a descubrir los carismas, especialmente el de curación que poseen las personas que se dedican al ministerio de los enfermos (ver más sobre los médicos en el capítulo IX, pág. 160).

SUFRIMIENTO Y MUERTE

A. EL PORQUÉ DEL SUFRIMIENTO VISIÓN DE JUAN PABLO II

Si Dios nos quiere sanos, ¿cómo justificar tanto sufrimiento, dolor, enfermedad y muerte? El Papa Juan Pablo II en su carta apostólica "Salvifici Doloris" sobre el sentido cristiano del sufrimiento en el mundo, enfrenta este problema y trata de darle alguna explicación. Se podría decir que el Papa llega a tres conclusiones, a partir del libro de Job:

a. El sufrimiento es castigo por el pecado

Dios es un juez justo que premia el bien y castiga el mal. La convicción de quienes explican el sufrimiento como castigo del pecado, halla su apoyo en el orden de la justicia y corresponde con la opinión expresada por uno de los amigos de Job: *"Por lo que siempre vi, los que obran la iniquidad y siembran la desventura, la cosechan"*: (Jb 4,8. Salvifici Doloris No. 10). Nuestras angustias y sufrimientos son frutos del pecado. No vienen de Dios (Rom 6,23). Dios no ha creado la muerte (Sb 1,13).

b. El sufrimiento tiene carácter de prueba

Al final del libro de Job, Dios mismo reprocha a los amigos de Job por sus acusaciones y reconoce que Job no es culpable. Se trata de un sufrimiento inocente que debe ser aceptado como un misterio que el hombre no puede comprender a fondo con su inteligencia.

Si es verdad que el sufrimiento tiene un sentido como castigo cuando está unido a la culpa, no es verdad, por el contrario, que todo sufrimiento sea consecuencia de la culpa y tenga carácter de castigo. La Revelación expone con absoluta claridad el problema del sufrimiento del hombre inocente: el sufrimiento sin culpa.

Job no ha sido castigado, no había razón para infligirle una pena, aunque hubiera sido sometido a una prueba durísima. En la introducción del libro aparece cómo Dios permitió esta pena por provocación de Satanás que puso en duda la integridad de Job:

Respondió el Satán a YHWH:
"¿Es que Job teme a Dios de balde?
¿No has levantado tú una valla en torno a él

a su casa y a todas sus posesiones?
Has bendecido la obra de sus manos
y sus rebaños hormiguean por el país.
Pero extiende tu mano y toca todos sus bienes;
¡verás si no te maldice a la cara!": Jb 1,9-11.

Si el Señor consiente en probar a Job con el sufrimiento, lo hace para probar su justicia. El sufrimiento tiene carácter de prueba (Salvifici Doloris No. 11).

En la Escritura encontramos muchos personajes que fueron puestos a prueba por Dios.

- Adán y Eva en el paraíso (Cf. Gen 2,16-17).
- Dios pide a Abraham el sacrificio de su hijo (Cf. Gen 22,1-19).
- Judith recuerda cómo Dios puso a prueba a todos sus antepasados (Cf. Jdt 8,21-23).
- Dios pone a prueba a todos aquellos que ama (Cf. Heb 11,4-11).
- Dios pone a prueba a su propio Hijo (Cf. Heb 4,15-5,8).

c. El sufrimiento es un llamado a la conversión

El libro de Job pone de modo perspicaz el "por qué" del sufrimiento: muestra también que éste alcanza al inocente, pero no da todavía la solución al problema.

Ya en el Antiguo Testamento notamos una orientación que tiende a superar la idea que el sufrimiento es únicamente un castigo por el pecado. En los sufrimientos del pueblo elegido está presente una invitación divina para llegar a la conversión:

Los castigos no vienen para la destrucción
sino para la corrección de nuestro pueblo:
2Mac 6,12.

Así, se afirma la dimensión de la pena. Según ésta, la pena tiene sentido no sólo porque sirve para compensar el mismo mal con otro mal, sino, ante todo, porque crea la posibilidad de reconstruir el bien en el mismo sujeto que sufre. Este es un aspecto importantísimo del sufrimiento en la Revelación de la Antigua, y sobre todo de la Nueva Alianza.

El sufrimiento debe servir para la conversión, es decir, para la reconstrucción del bien en el sujeto, que puede reconocer la misericordia divina en esta llamada a la penitencia. La penitencia tiene como finalidad superar el mal que bajo diversas formas está latente en el hombre, y consolidar el bien, tanto en uno mismo como en su relación con los demás y, sobre todo, con Dios (Salvifici Doloris No. 12).

Estando en una ciudad de Argentina, en una reunión
con médicos, uno de ellos preguntó:

- *Mi hija de cuatro años tiene asma bronquial cró-*
  nica y ¿por qué yo, siendo especialista en vías res-
  piratorias no he podido hacer nada por ella, y sí
  mucho por otros?

Al interrogar al médico en privado, se le preguntó:

- *¿Esta niña fue concebida con amor?*

- *Sí, contestó el médico.*

Pero la esposa inmediatamente añadió:

- *No. Recuerdo que no queríamos tenerla y se pensó*
  hasta en un aborto.

Entonces mirando y conversando con la niña se le preguntó:

- ¿Verdad que papi y mami te quieren mucho?

- No. Ellos no me quieren.

En este momento sus padres se dieron cuenta de que la niña era consciente del rechazo. Se les sugirió un "tratamiento de amor" como medicina sanadora. Algunos meses más tarde recibí una carta de este médico, contándome la sanación de su hija.

B. TRATAMIENTO DE AMOR

Este tratamiento consiste en dejar sentir a la otra persona que la amamos. Es usar gestos y símbolos con los cuales transmitimos el amor. Ejemplo: un abrazo, un beso, un apretón de manos, etc. que estén cargados de profunda afectividad, que conmuevan profundamente a cada persona, tanto al donador como al receptor.

Salúdense unos a otros con el beso de amor:
1Pe 5,14a.

No es la expresión fría de palabras vacías que poco dicen, sino que consiste en el uso de signos que ayuden a construir, animar y edificar una persona. Es lo que San Pablo dice a los Efesios:

No salga de su boca palabra dañosa,
sino la que sea conveniente para edificar
según la necesidad y hacer el bien
a los que los escuchen:
Ef 4,29.

Este tratamiento de amor se realiza en tres niveles.

a. El amor que me dan

Es muy común entre familiares decirse palabras, que si bien no dañan las relaciones, sí pueden acomplejar a la persona a quien se le dirigen.

El ejemplo más común podría ser la madre que le dice a su hija: "estás gorda, eres fea, estás mal presentada, no tienes gusto, no sabes vestirte", etc. Si en lugar de estas palabras se usan otras para animar y construir, se van a evitar fricciones y tensiones y se construirá un ambiente de paz y de amor en cada persona.

Siempre que alguien nos alienta, nos sonríe, nos da un sincero abrazo, una palmada en la espalda y hasta una amorosa corrección fraterna nos sentimos aceptados y queridos. Esto nos sana de inseguridades y muchos complejos.

b. El amor que me doy a mí mismo

Nadie puede amar ni dar amor, si primero no se ama a sí mismo. El primer mandamiento habla de la obligación de damos amor a nosotros mismos:

Amarás al Señor tu Dios con todo tu corazón,
con toda tu alma, con todas tus fuerzas
y con toda tu mente;
y a tu prójimo como a ti mismo:
Lc 10,27.

Me amo como soy, no como quisiera ser; y me valoro en lo que soy. De lo contrario caeré en un negativismo personal.

Para poder observar el mandamiento de Jesús debemos comenzar por ser tan bondadosos con nosotros mismos como queremos serlo con los demás. Esto no constituye una lección de arrogancia sino la explicación de que Jesús no consideraba como humildad la autocondenación destructiva. Muchas veces Él curó a enfermos y perdonó a los pecadores aliviándolos de la carga de culpabilidad y condenación: *"Hijo, tus pecados te son perdonados"* (Mc 2,5). Y luego efectuaba una curación.

Al amarnos a nosotros mismos, demos gracias a Dios por el amor que nos llega a través de nuestros parientes, amigos y conocidos, porque mientras más amor recibamos o nos demos, más nos sanamos.

Un método muy bueno y práctico para darnos amor a nosotros mismos es miramos ante un espejo y comenzar dar gracias a Dios por el regalo de haber sido creados a su imagen y semejanza: la maravilla de nuestros ojos para ver, del gusto para saborear los alimentos, de los dientes para morder y masticar las comidas, de la boca y los labios para hablar, de la voz para comunicamos con los demás, de los oídos para escuchar, etc. Al hacer esto nos vamos llenando de amor y de paz.

Todo aquello que a usted no le guste se convierte de manera automática en su enemigo. Si a usted no le gusta su cara, su cara es su enemigo. Si no le gusta su pelo, su pelo es su enemigo. Si no le gusta su estatura, su estatura es su enemigo, etc. Algunos Salmos, pueden inspirarnos para alabar a Dios y llenarse de amor.

Porque tú mis riñones has formado,
me has tejido en el vientre de mi madre;
yo te doy gracias por tantas maravillas:
prodigio soy, prodigios son tus obras.
Mi alma conocías cabalmente,
y mis huesos no se te ocultaban,
cuando era yo formado en lo secreto,
tejido en las honduras de la tierra.
Mi embrión tus ojos lo veían;
en tu libro están inscritos todos
los días que han sido señalados,
sin que aún exista uno sólo de ellos:
Sal 139,13-16.

c. El amor que doy a otros

Una persona llena de amor, ya sea porque se lo dan o se lo da, es un instrumento precioso de curación. Un médico amoroso y cariñoso con sus pacientes es fuente de inmensa sanación para ellos. Un sacerdote lleno de ternura y bondad para sus feligreses es canal de la sanación de Jesucristo.

Un medio muy adecuado para dar amor a otros es por medio de la sonrisa. El Cardenal Richard Cushing escribió:

Solamente una pequeña sonrisa en tus labios
alegra tu corazón.
Sonríe a ti mismo... hasta darte cuenta
de que tu habitual seriedad ha desaparecido.
Sonríe a ti mismo... hasta dar calor a tu corazón
con el sol de tu radiante rostro.
Luego... Ve a irradiar tu sonrisa.

Tu sonrisa tiene ahora
una obra que realizar por Dios.
Sonríe a los rostros desolados.
Sonríe a los rostros tímidos.
Sonríe a los rostros tristes.
Sonríe a los rostros enfermos.
Sonríe a los rostros frescos y juveniles.
Sonríe a los rostros viejos y arrugados.
Sonríe a tu familia, a tus amigos.
Cuenta el número de sonrisas
que tu sonrisa ha provocado en otros en un día.
Ese número te dirá cuantas veces
has suscitado alegría, satisfacción,
ánimo, confianza en los corazones de otros.

Estas buenas disposiciones son siempre fuente de altruismo y de buenas acciones.

Tu sonrisa... puede llevar Nueva Vida,
esperanza y ánimo a los corazones cansados
y oprimidos, tentados, desesperados.
Tu sonrisa... puede ayudar a madurar una vocación
si eres sacerdote o religiosa.
Tu sonrisa... puede ser
el principio de conversión a la fe.
Tu sonrisa... puede preparar el camino
para el regreso de un pecador a Dios.
Sonríe, también a Dios...
Sonríe a Dios en amorosa aceptación
de lo que Él disponga con tu vida y tú merecerás
gozar de la faz de Cristo radiante y sonriente
con especial amor para ti, por toda la eternidad.

La Santa Escritura recomienda la alegría como remedio excelente.

El corazón alegre mejora la salud;
el espíritu abatido seca los huesos: Prov 17,22.

El ánimo del hombre lo sostiene
en su enfermedad; pero perdido el ánimo,
¿quién lo levantará?: Prov 18,14.

La poetisa mexicana Ana María Rabatté expresa hermosamente en verso lo que debe ser el programa de vida de una persona en su relación con el prójimo.

- En Vida, Hermano, en Vida

Si quieres hacer feliz a alguien que quieras mucho...
Díselo hoy, sé muy bueno en vida, hermano,
en vida.

si deseas dar una flor, no esperes a que se mueran,
mándalas hoy con amor...
En vida, hermano, en vida...

Si deseas decir "te quiero" a la gente de tu casa,
al amigo cerca o lejos.
En vida, hermano, en vida...

No esperes a que se muera la gente para quererla
y hacerle sentir tu afecto.
En vida, hermano, en vida...

Tú serás muy venturoso si aprendes a hacer felices,
a todos los que conozcas.
En vida, hermano, en vida...

Nunca visites panteones ni llenes tumbas de flores,
llena de amor corazones.
En vida, hermano, en vida...

El poeta mexicano Amado Nervo, describió de un modo maravilloso la belleza de la alegría de dar.

- Dar

Todo hombre que te busca, va a pedirte algo:
El rico aburrido, la amenidad de tu conversación.
El pobre, tu dinero. El triste, un consuelo.
El débil, un estímulo. El que lucha, una ayuda moral.
El enfermo, un alivio verdadero.
Todo hombre va a pedirte algo.
¡Y tú osas impacientarte! ¡Y tú osas pensar!
"¡Qué fastidio!".
¡Infeliz! La ley escondida
que reparte misteriosamente las excelencias,
se ha dignado otorgarte
el privilegio de los privilegios,
el bien de los bienes,
la prerrogativa de las prerrogativas:
¡Dar! ¡Tú puedes dar!
En cuantas horas tiene el día,
tú das, aunque sea una sonrisa,
aunque sea un apretón de manos,
aunque sea una palabra de aliento.
En cuantas horas tiene el día, te pareces a Él,
que no es sino dación perfecta,
difusión perfecta, y regalo perpetuo.
Deberías caer de rodillas
ante el Padre y decirle:
"¡Gracias porque puedo dar, Padre mío!".
Nunca más pasará por mi semblante
la sombra de la impaciencia!
"¡En verdad os digo
que más vale dar que recibir!".

C. ALEGRÍA EN EL SUFRIMIENTO

Dios permite el sufrimiento y el dolor, pero no los quiere; algo así como permite el pecado y sin embargo no lo quiere. Puede incluso suceder que Dios realmente envíe una enfermedad o sufrimiento a una persona, pero en esos casos estas dolencias tienen tres características:

- La paz y alegría que se siente.
- Contagian de paz y alegría a todas las personas que los visitan.
- El sufrimiento los lleva a sentir un amor muy grande por el Señor. Un amor generoso y oblativo. Esta característica es más importante que las anteriores.

En mi ministerio, ya de varios años, únicamente he encontrado dos personas enfermas de cáncer con estas tres características y no querían que se orara por ellas por el temor de perder la paz y el amor que la enfermedad les producía:

Una joven madre en la República Dominicana quien me dijo: "Sólo quiero una oración para que este amor que siento por el Señor desde que estoy enferma siga aumentando".

Un hombre de 45 años en la ciudad de Monterrey, México, que vivía en una casucha de cartón miserable, paralizado todo su cuerpo, maloliente y lleno de mugre. Dijo: "Hermano, permítame llamarle mi hermano, porque si no le gusta que le llame así, usted está en peores condiciones que yo. Soy un hombre feliz desde que Jesucristo entró a mi corazón. Ya no hay sufri-

mientos y no soy digno de vivir la vida que Dios me ha dado".

Pienso que en estas personas se cumplían las palabras de San Pablo a los Colosenses: "*Ahora me alegro por los padecimientos que soporto por ustedes, y completo en mi carne lo que falta a las tribulaciones de Cristo*" (Col 1,24). San Pablo encontró la alegría de sufrir al descubrir el valor del sufrimiento (Salvifici Doloris No. 1).

D. TRES FINALIDADES DEL SUFRIMIENTO

A veces el sufrimiento puede ser para la gloria de Dios, para beneficio propio o para provecho de otra persona.

a. Para su gloria

En dos pasajes del Evangelio de San Juan se dice claramente que Dios permite las enfermedades y los sufrimientos para su gloria:

Respondió Jesús: "Ni él pecó ni sus padres",
es para que se manifiesten en él las obras
de Dios": Jn 9,3.

Jesús, dijo: "Esta enfermedad no es de muerte,
es para la gloria de Dios, para que el Hijo de Dios
sea glorificado por ella": Jn 11,4.

La inmensa mayoría de la gente no quiere estar enferma. Prueba de eso es que acuden a los médicos en busca de salud. Ciertamente se puede ofrecer nuestro sufrimiento a Dios, transformándolo en fuente de mérito. Todo dolor que se ofrece a Dios, unido al sufrimiento de Cristo en la cruz, es corredentor y glorifica a Dios. Pero nadie quiere estar enfermo.

Dios quiere nuestro bien y su gloria, y ¿qué le da más gloria: el dolor y sufrimiento ofrecidos por una sola persona, o todo un pueblo celebrando y aclamando el poder y amor de Dios derramado sobre esa persona que ha sido curada por Él?

A Dios se le da gloria de diferentes maneras. Lo que debemos aclarar es que a Dios no le glorifica más el dolor que la salud; que lo más meritorio no se mide por el trabajo que más nos cueste, sino que depende del amor con que actuemos en cada circunstancia. Así lo explica Santo Tomás:

"No es la dificultad que se siente al amar al enemigo lo que cuenta para lo meritorio, sino la medida en que se manifiesta en ella la perfección del amor. Así pues, si la caridad fuera tan completa que suprimiera en absoluto la dificultad sería entonces más meritoria".

Quaest, disp. de caritate 8 ad 17.

Yo soy testigo que Dios permite el sufrimiento para glorificar su nombre:

Mi hermana Luz Elena, la Srta. Blanca Ruiz, la Sra. Virginia Chang de Díaz y yo, tuvimos un terrible accidente automovilístico en la ciudad de Panamá en donde casi perdemos la vida, especialmente mi hermana, por la gravedad de las heridas. Mientras nos recuperamos en el hospital, muchas veces le pregunté al Señor: ¿Qué me quieres decir con todo esto? ¿Qué quieres Señor? Nunca comprendí nada, pero al abandonar el hospital y disponemos a regresar a nuestra casa en Nueva York, me di cuenta que el Señor había hecho muchas sanaciones en varias áreas de mi vida. Vi también que algunos médicos y enfermeras del hospital se habían librado de muchas supersticiones y de amuletos que cargaban, aparte de muchas sanaciones físicas y conversiones que el Señor realizó a través de nuestra estancia en el hospital.

Nuestro viaje a Panamá era con el fin de ir a predicar a Santiago de Veraguas, pero el Señor permitió el accidente para llevarnos a otra parte, al hospital, en donde quizá de otra forma, estas personas nunca hubieran oído hablar del Señor. Por haber permitido el accidente somos muchos los que hemos podido dar gloria a Dios.

Siempre que nos invitan a evangelizar nos pagan los gastos, pero ahora fuimos nosotros quienes pagamos muchos dólares y dolores por anunciar a Cristo Jesús en el hospital.

Quizá nuestro accidente se parece al de San Pablo cuando dice que el Evangelio llegó a los gálatas debido a una enfermedad que sufría, la cual le permitió permanecer con ellos y anunciarles así a Jesucristo (Gal 4,13).

b. Para nuestro bien

La Renovación Carismática, siguiendo la tradición católica, siempre ha enseñado que Dios puede permitir el sufrimiento para nuestro provecho, purificación o santificación.

San Pablo habla de que *"me fue dado un aguijón a mi carne, un ángel de Satanás que me abofetea para que no me envanezca. Por este motivo tres veces rogué al Señor que se alejase de mí. Pero él me dijo: "Mi gracia te basta, que mi fuerza se muestra perfecta en la flaqueza"* (2Co 12,7.9). San Pablo pidió a Dios que le quitara esa dolencia, pero parece que Él no lo hizo, por el bien espiritual del apóstol.

Durante el ya mencionado accidente de Panamá, Dios me bendijo haciéndome comprender la brevedad de la vida humana y la necesidad de vivir en santidad y justicia todos los días de la vida.

Desde entonces mi manera de pensar y de ver los acontecimientos que me suceden a diario, los veo con proyección de eternidad. Hoy me siento con una profunda sanación del apegamiento a la vida. Aparte de otras sanaciones personales.

Uno de los médicos que nos atendía venía con frecuencia y nos decía:

- *Qué enfermos tan raros son ustedes. Son muy distintos de todos los demás. Tienen algo que no alcanzo a percibir lo que puede ser.*

- *Doctor, - le dije un día- ¿Qué tenemos de diferente a los otros enfermos?.*

- *Los enfermos en general lloran, se lamentan del dolor de las heridas, el aspecto de sus caras es triste y viven más bien deprimidos. Pero ustedes son alegres, la sonrisa siempre en los labios y a todo momento ese cantito que dice: "Alabaré, alabaré, alabaré" y también: "Yo tengo un gozo en el alma" y siempre hablando de Dios. Esto no lo puedo entender.*

Así pasó el tiempo en el hospital. Todos los días predicando con mi Biblia en las manos y tratando de convencer a todos de la necesidad de un regreso a Dios. Cuando llegó el día de volver a nuestra casa en Nueva York, el médico de que hablo se me acercó y me dijo:

- *Yo no sé que tienen ustedes, pero eso que tienen yo también quiero tenerlo.*

Con lágrimas en los ojos se puso de rodillas delante de mí. Yo le impuse las manos y le dije:

- *Oro y plata no tengo, pero lo que tengo te doy. En nombre de Jesucristo de Nazaret recibe paz, amor, perdón y alegría.*

Un año después volvimos a Panamá y vimos a este médico quien nos contó cómo desde ese día había cambiado radicalmente su vida y se le habían arreglado todos sus problemas.

c. Para beneficio de otros

El ejemplo mayor de sufrimiento por el bien de otros es el que padeció Jesucristo por la salvación del mundo (2Cor 5,21). El sufrimiento y muerte de los primogénitos de Egipto para salvar al pueblo de Israel (Lc 2,16-20). Quizás también pudiera verse otro ejemplo en la enfermedad de San Pablo que lo detuvo y le permitió predicar el Evangelio a los gálatas (Gal 4,13).

Esta enseñanza de la Renovación Carismática Católica está en perfecta consonancia con la doctrina expuesta por el Papa Juan Pablo II en su carta apostólica *"Salvifici Doloris"* sobre el sufrimiento humano.

El mismo día de nuestro accidente en Panamá, 24 de septiembre de 1976, estando todavía en la sala de urgencias, ocurrió un acontecimiento muy especial del que yo mismo no fui consciente ni recuerdo nada. Lo relato tal como me lo contó la persona favorecida.

El Sr. Ernesto Gómez se encontraba hospitalizado desde hacía algún tiempo debido a unos tumores en la vejiga y en la espalda motivo por el cual no podía orinar ni caminar derecho.

En cierto momento el Sr. Gómez se acercó hasta la camilla en donde me encontraba para saludarme, y yo le dije: ¿Qué le pasa?

- *Me van a operar el lunes próximo porque tengo unos tumores, -respondió.*

Cuenta el enfermo que en ese momento imponiéndole las manos, hice una oración. Él se retiró y se fue a su habitación y llegando se dio cuenta de que podía caminar derecho sin dificultad y sin dolor y al mismo tiempo sentía deseos de orinar, lo que hizo en una cantidad de 800 cc. cosa que era imposible para él.

Después de algunos días de observación y exámenes por parte de los médicos, y no encontrando nada anormal, dejó el hospital. Dios lo había sanado.

Una cosa hermosa en este caso es que Ernesto era un fervoroso seguidor de la religión budista y al ver lo que Jesucristo había hecho por él, regresó a la Iglesia Católica de donde había salido muchos años antes. En un canasto de basura que había junto a mi cama, tiró un objeto religioso que los budistas llaman el "bogonzo" y que él usaba mucho en sus oraciones.

Recibió un don de sabiduría tan abundante que en un sólo día que leyó los cuatro evangelios, era capaz de decir los pasajes afines que hay en los Evangelios Sinópticos y explicar con sencillez admirable las diferencias que hay entre los unos y los otros. Este hombre, que encontró y se enamoro de Jesucristo, se encuentra hoy predicando y evangelizando a sus hermanos con todo su corazón, con toda su alma y con todas sus fuerzas.

Dios puede permitir el sufrimiento de algunos para el beneficio espiritual de otros. Ernesto Gómez conoció a Jesucristo debido a nuestro accidente.

E. ¿NOS QUIERE DIOS SUFRIENDO?

Algunos piensan que Dios manda y quiere el sufrimiento en nuestras vidas: *"Porque no deshecha para siempre a los humanos el Señor: Si llega a afligir, se apiada luego según su inmenso amor pues no de corazón humilla él ni aflige a los hijos de hombre"*: (Lm 3,31-33). Esta falsa idea de que Dios nos quiere sufriendo ha venido principalmente por dos canales:

a. Estoicismo

El ministerio de la curación se debilitó principalmente debido a la influencia de la doctrina de los estoicos en los Padres de la Iglesia y en general en sus pensadores teólogos.

Por esta influencia, se tendía a considerar el cuerpo humano como una cárcel que aprisionaba el alma y obstaculizaba su crecimiento espiritual. Se llegó entonces al ascetismo severo que fincaba la perfección en desconfiar del cuerpo humano, dándole muerte mediante diversas mortificaciones y penitencias. Se vivía en la expectativa de un futuro en que el alma sería liberada de la cárcel de su carne. No se valoraba el cuerpo como don de Dios ni como santuario del Espíritu Santo.

Por lo tanto, todo lo que nos llevara o produjera sufrimiento o sacrificio era sobrevalorado ya que sometía al cuerpo bajo el dominio de la razón. Recuperar la salud parecía perder la oportunidad del sufrir, tan valorado por los estoicos.

La especial valoración de mente y razón iba acompañada de una depreciación del cuerpo, sede de pasiones irracionales y parte mortal del hombre. Había incluso que dar la bienvenida a la muerte porque con ella la mente se liberaba de las cadenas corporales.

b. Mala comprensión de las Bienaventuranzas

Otra causa por la cual se difundió la idea que Dios nos quería sufriendo fue una mala interpretación de las Bienaventuranzas.

Bienaventurados los perseguidos
por causa de la justicia,
porque de ellos es el Reino de los Cielos:
Mt 5,10.

Se pensaba que la perfección cristiana consistía sólo llorar, tener hambre, sufrir persecuciones y todo tipo de sufrimiento, y no en la identificación con Cristo que pasando por la cruz, llegó a la resurrección.

Ciertamente Jesús nos habla de persecuciones, incomprensiones y críticas por su Nombre, pero nunca se refiere a epilepsias, úlceras o parálisis. Es decir, los sufrimientos de afuera hacia adentro pueden venir como consecuencia de nuestra fidelidad al evangelio, pero las enfermedades de adentro para afuera son precisamente las que Jesús vino a suprimir con su cruz.

El ministerio de sanación no quiere decir que va a quitar todos los sufrimientos sino que quiere aclarar lo que debe ser el sufrimiento del cristiano: sufrir como Jesús sufrió.

Pues para esto han sido llamados,
ya que también Cristo sufrió por ustedes,
dejando ejemplo para que sigan sus huellas:
1Pe 2,21.

Llevamos siempre en nuestros cuerpos
por todas partes el morir de Jesús,
a fin de que también la vida de Jesús
se manifieste en nuestro cuerpo: 2Cor 4,10.

Por eso me complazco en mis flaquezas,
en las injurias, en las necesidades,
en las persecuciones
y las angustias sufridas por Cristo;
pues, cuando estoy débil,
entonces es cuando soy fuerte: 2Cor 12,10.

F. LA MUERTE

Una persona que ha conocido personalmente al Señor no tiene miedo a la muerte. Sabe que no es el

final sino el comienzo de una verdadera vida a la que
está llamada.

Yo soy la resurrección.
El que cree en mí, aunque muera, vivirá;
y todo el que vive y cree en mí, no morirá jamás:
Jn 11,25-26.

La muerte es la sanación completa porque es la
liberación de todos nuestros males.

El miedo que mucha gente siente ante la muerte
es un signo claro de que Dios no quiere que mura-
mos, sino que vivamos, y vivamos con Él. No nos ha
creado para morir sino para vivir. Dios en su misericordia, viene en nuestra ayuda y nos sana del miedo
de la muerte.

El Señor Jesús participó de nuestra naturaleza humana, tenía carne y sangre humana, para aniquilar,
mediante su muerte al dueño de la muerte, al diablo,
y libertar a cuantos, *"por temor a la muerte, estaban de*
por vida sometidos a esclavitud" (Heb 2,15).

El Concilio Vaticano II nos habla de la sanación
que produce la fe ante el misterio de la muerte cuando en la Constitución *"Gaudium et Spes"* en el número 18 se expresa de la siguiente forma:

El máximo enigma de la vida humana es la muerte. El
hombre sufre con el dolor y con la disolución progre-
siva del cuerpo. Pero su máximo tormento es el temor
por la desaparición perpetua. Juzga con instinto certe-
ro cuando se resiste a aceptar la perspectiva de la rui-
na total y del adiós definitivo. La semilla de eternidad

que en sí lleva, por ser irreductible a la sola materia, se levanta contra la muerte. Todos los esfuerzos de la técnica moderna, por muy útiles que sean, no pueden calmar esta ansiedad del hombre: la prórroga de la longevidad que hoy proporciona la biología no puede satisfacer ese deseo del más allá que surge ineluctablemente del corazón humano.

Mientras toda imaginación fracasa ante la muerte, la Iglesia, aleccionada por la Revelación divina, afirma que el hombre ha sido creado por Dios para un destino feliz situado más allá de las fronteras de la miseria terrestre. La fe cristiana enseña que la muerte corporal, que entró en la historia a consecuencia del pecado, será vencida cuando el omnipotente y misericordioso Salvador restituya al hombre en la salvación perdida por el pecado.

Dios ha llamado y llama al hombre a adherirse a Él con la total plenitud de su ser en la perpetua comunión de la incorruptible vida divina. Ha sido Cristo resucitado el que ha ganado esta victoria para el hombre, liberándolo de la muerte con su propia muerte para todo hombre que reflexione, la fe, apoyada en sólidos argumentos, responde satisfactoriamente al interrogante angustioso sobre el destino futuro del hombre y al mismo tiempo ofrece la posibilidad de una comunión con nuestros mismos queridos hermanos arrebatados por la muerte, dándonos la esperanza de que poseen ya en Dios la vida verdadera.

Creo que estas palabras del concilio están hermosamente puestas en oración por San Agustín cuando dice:

"No lloren si me amaban. ¡Si conocieran el don de Dios y lo que es el cielo! Si pudieran oír el cántico de los ángeles y verme en medio de ellos! Si pudieran ver con sus ojos los horizontes, los campos eternos y los nuevos senderos que atravieso. Si por un instante pudieran contemplar como yo, la belleza ante la cual todas las otras bellezas palidecen.

Créanme, cuando la muerte venga a romper sus ligaduras, como ha roto las que a mí me encadenaban, y cuando un día que Dios ha fijado y conoce, su alma venga a este cielo en que los ha precedido la mía, ese día volverán a ver a aquel que los amaba y que siempre los ama y encontrarán su corazón con todas sus ternuras purificadas.

Volverán a verme, pero transfigurado y feliz, no ya esperando la muerte, sino avanzando con ustedes por los senderos nuevos de la luz y de la vida, bebiendo con embriaguez a los pies de Dios un néctar del cual nadie se saciará jamás.

Enjuguen sus lágrimas y no lloren si me aman".

He visto el cambio de mucha gente ante este misterio y los he visto morir con una inmensa paz. Cuando un cristiano, medianamente educado en la fe comprende su destino final, la muerte se convierte en una llama esperanza. De aquí que encontremos personas como Santa Teresa de Jesús que escribió:

Ven muerte, tan escondida que no te sienta venir
porque el placer de morir no me vuelve a la vida.

Para ella, la muerte era un gozo. San Pablo escribía:

Para mí la vida es Cristo,
y la muerte, una ganancia: Flp 1,21.

El hombre de fe canta gozoso:

¿Dónde está, oh muerte, tu victoria?
¿Dónde está, oh muerte, tu aguijón?:
1Cor 15,55.

El Padre Ignacio Larrañaga dice que el mejor homenaje que se puede hacer a Dios ante el misterio de la muerte es guardar silencio. Convencido por esta idea nos enseña a que digamos la siguiente oración:

"Silencio y paz.
Fue llevado al país de la vida
¿Para qué hacer preguntas?
Su morada, desde ahora, es el Descanso,
y su vestido, la Luz. Para siempre.
Silencio y paz. ¿Qué sabemos nosotros?

Dios mío, Señor de la Historia y dueño del ayer y del mañana, en tus manos están las llaves de la vida y de la muerte. Sin preguntarnos, lo llevaste contigo a la Morada Santa, y nosotros cerramos nuestros ojos, bajamos la frente y simplemente te decimos: está bien. Sea. Silencio y paz. Se acabo el combate. Ya no habrá para él lágrimas, ni llanto, ni sobresaltos.

El sol brillará por siempre sobre su frente, y una paz intangible asegurará definitivamente sus fronteras.

Señor de la vida y dueño de nuestros destinos, en tus manos depositamos silenciosamente este ser entrañable que se nos fue.

Mientras aquí abajo entregamos a la tierra sus despojos transitorios, duerma su alma inmortal para siem-

pre en la paz eterna, en tu seno insondable y amoroso, oh Padre de misericordia. Silencio y paz".

Dios en su infinita sabiduría y poder le concedió a mi hermana Luz Helena, después del terrible accidente automovilístico de Panamá. Diez años más de vida, al final de los cuales se la llevó (de manera definitiva) definitivamente con Él para el cielo.

Con motivo de su muerte, recibí varias cartas en donde se pueden ver los sentimientos que un persona que ha conocido al Señor experimenta ante el misterio de la muerte. No es un acabarse todo sino un transformarse todo. Comparto con el lector algunas de esas cartas, no por lo que hablan de ella, sino por lo que reflejan de cristianismo.

Medellín, julio 30 de 1986.

Querido P. Darío:

Con un abrazo fraterno bien fuerte quiero saludarte y acompañarte en tu pena y en tu gozo espiritual por la pascua de Luz Helena. Ella goza de la visión de Dios, llena de la presencia del Espíritu.

Fue por Blanca Ruiz que supe la noticia. Te acompaño en mi afecto fraterno y con mi amistad en el Señor Jesús resucitado le pido al Espíritu Santo te llene de fortaleza y supla con creces la ausencia de tu hermana mediante una efusión abundantísima de amor de Dios.

Tu hermano en Cristo Sacerdote.
Salvador Carrillo.

Medellín, julio 31 de 1986.

Apreciado Darío: Paz y Bien.

Quiero llegarme a ti con la paz del Señor en ese momento bonito de tu vida. Supe de la muerte de tu hermanita. De verdad quiero estar contigo aunque sea por intermedio de estas letras. Sé que es confortante la compañía de los amigos y más si esa compañía es con el Señor. No llego con pésames sino con felicitaciones pues ya tu hermana ha llegado a la presencia del Señor, a quien sirvió y por quien entregó su vida y necesariamente este encuentro definitivo tiene que ser un encuentro de gozo y alegría permanente.

De verdad que la muerte es un momento de dicha y felicidad porque nos desata de los impedimentos que hacían que nuestra estadía en este mundo fuera un tanto incierta. Ya se ha destruido la incertidumbre, se han descorrido los velos y ahora sí tu hermana se encuentra ante la gran Realidad: ante el Señor.

Encomendémonos a ella. Que si está con el Señor tiene que ser nuestra y de manera especial, tu Santa Protectora ¡Felicitaciones!

Recibe mi compañía, aunque sea en esta carta y cuenta con mis oraciones y con mi recuerdo de tu hermana en mi Eucaristía. También estoy contigo y mi oración te acompaña. No me dejes en tus oraciones.

Recibe mi abrazo afectuoso y la seguridad de mi compañía.

Tu hermano en Cristo y María Dolorosa.
P. Jaime Forero R.

New York, agosto 19 de 1986.

Estimado Darío:

Te extrañará que luego de tanto tiempo sin saber de mí te escriba, Sucede que hace un rato llamé a Roberto Torres y me dijo que tu hermana había fallecido. Decirte que tengas valor y que todo pasará, es algo que ya estás cansado de oír, es difícil en ocasiones como ésta dar alivio a través de palabras. Sobre la muerte se han escrito libros, y hasta poesías, tratando de hallar el significado y propósito de algo tan doloroso. El filósofo y escritor hindú Tagore escribió algo que aunque simple da un significado a la muerte en el plan de Dios. Dice: "así como la vida es bella como las flores de la primavera, la muerte es bella como las hojas secas del otoño". Todo es la voluntad de Dios, y aunque doloroso y a veces incomprensible para nosotros, Él en su eterna sabiduría hace lo correcto. Sé que eres un ser humano excepcional y que sin duda fuiste un gran hermano.

Ese es el mejor consuelo, saber que se fue... bueno con los que amamos.

Estarás en mis oraciones.

> *Oscar Hernández de Diego.*

Santo Domingo agosto 21 de 1986.

Querido Darío:

Ayer me he enterado de lo que es sin duda, una mezcla de dolor y de gozo en el Señor, la "pascua definitiva" de Luz Elena, y me apresuro a escribirte, a estar conti-

go en estos momentos en que pido al Señor te fortalezca y te dé a sentir de manera muy especial su presencia
y compañía, mediante el poder de una oración generosa" plenamente eficaz y de fe.

Ayer ofrecimos por Luz Elena y por ti la Eucaristía
aquí en "La Anunciación" con toda la gente que viene,
y son muchos, diariamente. Hemos dado gracias al Señor por su bondad; por el misterio de sus caminos y de
sus momentos; por haberle prolongado a Luz Elena el
don de la vida por casi diez años a partir del accidente
de Panamá, como signo de su amor y para testimonio
ante tanta gente en tantas partes, testimonio que, tú
mejor que yo lo sabes, ha producido tantos frutos y
seguirá produciéndolos. Que Él te fortalezca a ti más
y más y que Él te consuele hondamente con la ternura
de su amor, que es amor de padre y madre y hermanos
y hermanas y que está por encima de todo y de todos...

No sé si conoces un "ágrafon" del Señor, es decir, re-
cuérdalo, una de esas palabras no escritas que se atri-
buyen a Jesús, como la que conocemos por San Pablo en
Hech 20,35: "Recordando las palabras del Señor Jesús
que él mismo dijo: Hay más dicha en dar en recibir".

Yo las encontré hace unos tres años en un precioso
librito de André Louf "El Espíritu Ora en Nosotros".
Pág.126-127.

Dice Louf "Por solitario y escondido que esté, el hombre
que ora nunca está sólo", y en este contexto cita el precioso "ágrafon de Jesús", conservado, según él por San
Efrén que vivió entre el 300 y el 373. "Allí donde un
hombre está absolutamente sólo, allí también estoy Yo".

A mí personalmente me ha hecho un bien inmenso y a toda la gente con quien lo he compartido, lo mismo. Y lo he hecho en retiros, en trato personal, etc. y tiene tantas y tan hermosas aplicaciones. Y es además, como la contrapartida de las palabras tan conocidas de Mt 18,20: "Porque donde están dos o tres reunidos en mi nombre, allí estoy yo en medio de ellos." Y; por lo tanto, solos con soledad absoluta o en encuentro fraternal de fe, está siempre Él con nosotros hasta el fin del mundo.

Darío, que el Señor te fortalezca y que sigas anunciando su presencia, su palabra, su amor, en el poder y en el amor de su Espíritu.

Bueno, querido Darío, ya sabes cuanto te acompaño especialmente en estos días. Recibe mis oraciones y saludos, lo mismo que los de la Comunidad de La Anunciación y de toda la gente que te conoce y conoció a Luz Helena. Mira, el Señor va formando en el cielo un "señor grupo de oración" que le alaba a Él e intercede por nosotros: Tu mamá, mi mamá. Tanta gente que tú y yo hemos conocido y con quienes compartimos aquí sus bendiciones, y ahora Luz Elena... "En el cielo todos cantan aleluya, yo también quiero cantar"... "He nacido de nuevo, he nacido de Dios"...

Si tienes un momento escríbeme...

Affmo. siempre,

Jorge Bravo S.J.

CUATRO PASOS
PARA LA CURACIÓN

El capítulo 38 del Libro del Eclesiástico, es muy rico en enseñanzas sobre la curación, encontramos los cuatro pasos que se deben seguir cuando una persona está enferma.

A. VUELTA A DIOS

El siguiente texto debería estar en todos los hospitales:

Hijo, en tu enfermedad, no seas negligente,
sino ruega al Señor, que él te curará: Eclo 38,9.

El doctor Fritz Lachman, Profesor de la Universidad Hebrea en Jerusalén, hace notar que los médicos no eran conocidos en Israel durante los tiempos primitivos y que la primera vez que aparece el título de médico, "rofe", se refiere a simples embalsamadores (Gen 50,2).

La enfermedad era mirada como un anuncio de la muerte. El Rey Asá, a quien se le reconocen varios méritos y hazañas, es llevado tanto a la derrota como a su muerte dolorosa por haber flaqueado en la confianza en Dios y haber confiado más en la ciencia humana que en la bondad divina (2Cro 16,11-12).

La medida de la misericordia que el Señor usa con nosotros es la esperanza que en ella tenemos. De aquí que Jesús repetía constantemente al hacer sus milagros: *"Que sea hecho según tu fe"*, *"tu fe te ha salvado"*.

Por eso en María Santísima, Dios hizo grandes cosas: ella creyó más que todos.

Mucha gente se vuelve en último lugar a Dios y después de haber acudido a muchos recursos hasta de origen diabólico, con lo cual quedan dañados y enfermos, en vez de buscar antes a Dios. ¿Por qué hay que recurrir a Dios antes que al médico? Porque el médico, como la medicina son limitados en sus posibilidades, logrando a veces acertar en sus propósitos (Eclo 38,13), pero otras no (Mc 5,26; Tob 2,10). Otra razón muy lógica es porque ciertas enfermedades son producto del pecado. Por ejemplo, enfermedades venéreas.

Jesús en el Evangelio nos invita a acercamos a Él así como somos:

Vengan a mí todos los que están fatigados
y sobrecargados, y yo les daré descanso:
Mt 11,28.

Aún más claramente nos dice:

Porque no he venido a llamar a justos,
sino a pecadores:
Mt 9,13b.

Estas palabras dan valor a aquellos que temen a Dios por los pecados y faltas cometidas.

Jesús hablando a la beata Faustina Kowalska, en diversas ocasiones invitó a los pecadores a acercarse a Él.

"Deseo que los sacerdotes anuncien mi gran mise-
ricordia por las almas pecadoras; no tema el pecador
acercarse a mí. Aunque el alma fuese como un cadáver
en putrefacción, si humanamente no hubiese solución,
no es así para Dios. Las llamas de la misericordia me
consumen, deseo infundirlas en las almas de los hom-
bres.

Soy todo amor y misericordia. Un alma que confía en
mí es feliz porque yo mismo cuido de ella.

Ningún pecador aunque fuese un abismo de pecados,
nunca agotará mi misericordia porque más se extrae y
más aumenta.

Soy más comprensivo con los pecadores que con los
justos. Es por ellos que vine al mundo. Es por ellos
que derramé toda mi sangre. No teman por lo tanto
acercarse a mí. Diles a las almas, hija mía, que les doy

como escudo mi infinita misericordia. Es por ellos que lucho, es por ellos que me enfrento al justo enojo de mi Padre. La fiesta de mi misericordia nació en mi corazón para consolar al mundo entero.

Hija mía, no desistas de anunciar mi misericordia, cuando lo haces das frescura a mi corazón envuelto en llamas de compasión por los pecadores. Dile a los sacerdotes que los pecadores endurecidos se arrepentirán ante sus palabras cuando hablen de mi inagotable misericordia, de la piedad que siento por ellos en mi corazón. A los sacerdotes que anuncien y celebren mi misericordia les daré gran ímpetu, ungiré sus palabras y yo mismo tocaré los corazones de aquellos a quienes hablarán. Todo lo que existe se encuentra en las vísceras de mi misericordia aún más arraigado que un bebé en el seno de su madre. ¡Cuánto me lastima la falta de confianza en mi bondad!

Para castigar tengo toda la eternidad; ahora en cambio extiendo para ellos el tiempo de la misericordia. De todas mis llagas, pero sobre todo de mi corazón, corren ríos de amor. Habla al mundo entero de mi misericordia.

Aunque sus pecados fueran negros como la noche, recurriendo a mi misericordia, el pecador me glorifica y rinde honras a mi pasión. En la hora de su muerte yo lo defenderé como si fuese mi misma gloria. Cuando un alma exalta mi bondad, tiembla Satanás frente a ella y huye hasta las profundidades del Infierno.

Mi corazón sufre porque también las almas consagradas ignoran mi misericordia y me tratan con indiferencia. ¡Cómo me lastiman! Si no creen en mis palabras, crean al menos en mis llagas".

A la sierva de Dios Sor Josefa Menéndez, Jesús le dijo el 30 de agosto de 1923:

"Josefa, no es el pecado lo que más duele y hace sufrir a mi corazón, sino el estado del pecado e indiferencia en que permanece después de pecar en vez de correr a refugiarse en mi misericordia" (Del libro: "Un llamamiento de amor").

B. ARREPENTIMIENTO

Aparta las faltas, endereza tus manos, y de todo pecado purifica el corazón: Eclo 38,10.

Dios pide apartarse del pecado y limpiar el corazón de las culpas porque el primer desequilibrio de salud física es el desorden moral traído por el pecado. En Génesis 3,16-19, se descubren todas las funestas consecuencias que trajo el pecado a nuestros primeros padres y con ello a toda la humanidad.

Confiesen, pues, mutuamente sus pecados y oren los unos por los otros, para que sean curados: St 5,16.

En este texto de Santiago encontramos una explicación del segundo paso para la curación. Una sincera confesión de los pecados es fuente abundante de paz, y ésta en sí misma es una curación que lleva a una sanación integral.

Un médico psiquiatra me decía que él pedía a sus pacientes, según su propia religión, que hicieran un acto de arrepentimiento de sus pecados, porque él estaba convencido de los frutos tan maravillosos de ello.

En cierta ocasión me contaba el médico psiquiatra Giorgio Schiaparelli que tuvo durante mucho tiempo como paciente psiquiátrico, un joven que con frecuencia caía en depresiones nerviosas muy fuertes. Con la ayuda de las medicinas y del tratamiento salía del cuadro nervioso pero al poco tiempo volvía a caer en él.

Con el pasar del tiempo en el tratamiento psiquiátrico, aclaró en dónde residía el origen de todo el mal: un terrible complejo de culpabilidad con sentimiento de condenación que le quedaba después de sus desenfrenos morales, muy especialmente una vez que contrajo una enfermedad venérea.

Este joven más que una ayuda psiquiátrica lo que necesitaba era una ayuda moral de un acertado director espiritual con paciencia y comprensión. El doctor Schiaparelli dirigió al joven hacia un sacerdote amigo suyo quien lo guió tan apropiadamente que no volvió a caer en depresiones nerviosas.

C. HACER OFRENDAS

Ofrece incienso y memorial de flor de harina,
haz generosas ofrendas, según tus medios:
Eclo 38,11.

"Hacer ofrendas" parece ser el paso más oscuro y extraño de los cuatro, pero al mismo tiempo tiene una gran conexión con nuestra obligación de dar culto a Dios. Las ofrendas son "*...para recuerdo y olor suavísimos*" (Lev 2,2), esto es, para hacer presente nuestra petición a Dios.

Este tercer paso, hacer ofrendas, podría hacerse concreto de las siguientes formas:

a. Eucaristía

Mandar celebrar el Santo Sacrificio de la Misa para gloria de Dios y nuestra salud.

b. Donaciones

Hacer donaciones especiales a la Iglesia o entidades de beneficencia de acuerdo con nuestros recursos.

Debemos compartir los bienes materiales, no por imposición sino por amor, para que la abundancia de unos remedie la necesidad de otros. (Puebla No. 1150). Creo que al compartir nuestros bienes debe tenerse en cuenta la prioridad de las necesidades y la primera de ellas es la evangelización.

"El mejor servicio al hermano es la evangelización que lo dispone a realizarse como hijo de Dios, lo libera de la injusticia y lo promueve integralmente" (Puebla No. 1145). Al dar nuestras donaciones debemos tener en cuenta muy especialmente a las entidades que se dedican a evangelizar.

c. Diezmos

Pagar los diezmos a la Iglesia de Dios. En el profeta Malaquías Dios habla de las bendiciones y maldiciones a quien lo hace o lo omite.

"Desde los días de sus padres vienen apartándose
de mis preceptos y no los observan.
Vuélvanse a mí y yo me volveré a ustedes,
dice YHWH Sebaot.

Dicen: ¿En qué hemos de volver?
¿Puede un hombre defraudar a Dios?
¡Pues ustedes me defraudan a mí!
Y aún dicen: ¿En qué te hemos defraudado?.
En el diezmo y en la ofrenda reservada...
Lleven el diezmo íntegro a la casa del tesoro,
para que haya alimento en mi Casa;
y pónganme así a prueba, dice YHWH Sebaot,
a ver si no les abro las esclusas del cielo
y no vacío sobre ustedes la bendición
hasta que ya no quede, y no ahuyento de ustedes
al devorador, para que no les destruya el fruto del
suelo y no se quede estéril la viña en el campo.
Todas las naciones los felicitarán entonces,
porque serán una tierra de delicias,
dice YHWH Sebaot": Mal 3,7-12.

Otras citas muy interesantes relativas al diezmo son las siguientes:

Hay más gozo en dar que en recibir (Cf. Dt 14,22-23); *porque la décima parte es santa* (Cf. Lev 27,30-32); *porque por cada ofrenda Dios promete su recompensa* (Cf. Sal 19,7); *porque su descendencia no tiene que mendigar el pan* (Cf. Sal 37,25); *porque la bendición de Dios es la que nos enriquece* (Cf. Prov 10,22); *porque nuestro tesoro está en el cielo* (Cf. Mt 6,19-21); *porque Dios nos dará en la misma medida* (Cf. Lc 6,38); *para tener una conciencia tranquila* (Cf. 1Tim 1,19); *porque no soy avaro* (Cf. 1Tim 6,10); *porque Dios ama a quien da con alegría* (Cf. 2Cor 9,7); *porque Dios suple mis necesidades* (Cf. Flp 4,19).

Una joven enfermera de nombre Blanca Bonaterra después de haberme escuchado varias veces en la misa dominical acerca de las bendiciones que Dios da a quienes cumplen con el deber de los diezmos, se decidió a hacerlo y comenzó a dar un poco más cada domingo hasta dar la suma exacta del diezmo. Al lunes siguiente, al llegar al consultorio del medico donde trabajaba, este le dijo:

- *"Blanca, usted ha sido muy buena empleada, muy cumplidora con su deber y muy fiel a mí, y he resuelto aumentarle el 10% de su salario haciéndolo retroactivo a 10 meses atrás".*

Esta enfermera había comenzado a dar el diezmo hacia 10 meses exactamente. Dios cumple con lo que dice en su palabra: Pónganme a prueba a ver si no derramo toda clase de bendiciones sobre ustedes (Cf. Mal 3,10).

d. Ofrecer la vida

Ofrecer la propia vida a Dios. La ofrenda mayor que Jesucristo hizo fue el dar su vida por nosotros:

Padre, en tus manos pongo mi espíritu:
Lc 23,46b.

Nadie tiene mayor amor
que el que da su vida por sus amigos:
Jn 15,13.

Entregar la vida es una ofrenda agradable a Dios. Sería algo así como decir: "Dios mío, si esta enfermedad es el medio que tú quieres usar para llevarme de este mundo a ti, aquí estoy, hazlo".

San Cipriano en su tratado sobre la muerte dice:

"...Es una contradicción pedir que se haga la voluntad de Dios, y luego, cuando Él nos llama y nos invita a salir de este mundo, mostrarnos reacios a obedecer el mandato de su voluntad. Nos detenemos y nos echamos atrás como servidores tercos.

Nos invade el temor y el dolor al pensar que debemos comparecer ante el rostro de Dios. Y al final salimos de esta vida no de buena gana, sino porque nos obligan y a la fuerza.

¡Pretendemos luego honores y premios de Dios después que lo buscamos de mala gana!

Entonces, me pregunto, ¿Por qué oramos y pedimos que venga el reino de los cielos, si nos sigue gustando el cautiverio de la tierra? ¿Por qué con frecuentes oraciones pedimos e imploramos insistentemente que venga pronto el tiempo del reino, si luego cobijamos en nuestro espíritu grandes deseos y ansias de servir aquí abajo al diablo antes que reinar con Cristo?...

Queridos hermanos, con mente serena, fe inmutable y gran espíritu, estamos prontos a cumplir la voluntad de Dios. Expulsemos el miedo a la muerte, pensemos en la inmortalidad que ella inaugura. Mostremos con los hechos lo que creemos ser...

Aceptemos con alegría el día asignado a nuestra verdadera residencia, el día que, después de habernos liberado de estas ataduras del siglo, nos devuelve libres al paraíso y al reino eterno... Nuestra patria no es otra que el paraíso. Allí nos espera un gran número de se-

res queridos, nos desean nuestros padres, los hijos en
alegre y jovial compañía, seguros ya de la propia felici-
dad, pero aún temerosos por nuestra salvación. Verlos,
abrazados a todos: ¡Qué alegría común para ellos y para
nosotros! ¡Qué deleite en aquel reino celestial, no temer
más a la muerte, y qué felicidad vivir eternamente!"
(Cap. 18,24,26; CSEL 3,308,312-314).

D. RECURRIR AL MÉDICO

Recurre luego al médico,
pues el Señor lo creó también a él,
que no se aparte de tu lado,
pues lo necesitas:
Eclo 38,12.

Notemos que aunque Dios pone al médico en último lugar, no lo descarta como medio por el cual nos
viene la salud. Dios quiere ocupar el primer lugar.
La mayoría de nosotros lo que hacemos es invertir el
orden de las cosas, poniendo primero el último: buscamos al médico antes y después recurrimos a Dios.

No podemos despreciar la labor del médico. Dios
nos manda recurrir a él. Muchas veces nos va a curar
a través de las medicinas y prescripciones médicas.

El Eclesiástico sigue explicando la posición del
médico:

Pues ellos también al Señor suplicarán
que les ponga en buen camino hacia el alivio
y hacia la curación para salvar tu vida:
Eclo 38,14.

El médico, el farmacéutico y el enfermero, han de saber que no sólo de ellos depende la curación del enfermo. Por lo cual deben rogar a Dios que les ayude en su diagnóstico y en el tratamiento. Tanto el enfermo como el médico han de recurrir al auxilio divino.

El autor del Eclesiástico dice:

Peca contra su Hacedor el que se las echa
de valiente ante el médico:
Eclo 38,15.

Quien se niega a ir al médico y se opone a las prescripciones de la medicina atenta contra los medios que Dios ha puesto a su disposición. Nótese muy bien que Dios nos manda buscar al médico después de recorrer los tres pasos anteriores.

La Biblia narra con sorpresa que el Rey Asá, sufriendo una terrible enfermedad de los pies, ni aún en su dolencia buscó al Señor, sino a los médicos (2Cro 16,12), invirtiendo el proceso del plan de Dios,

Un día vino un hombre a mi casa a verme, junto con su esposa, Su semblante era el de un muerto ambulante. El color amarillento de su piel, sus pies hundidos, sus huesos apenas sostenidos por unos pocos músculos y nervios acabados, daban a comprender que este pobre hombre estaba ya cerca de la tumba. Me contó que, según los médicos, le quedaban más o menos unos dos meses de vida porque el cáncer le tenía invadido el hígado, el páncreas, estómago y en general todo el cuerpo.

Queriendo dejar todo listo para su entierro, vino a preparar lo correspondiente a la Iglesia y me preguntó cuánto costaba la Misa de su funeral. Mientras me hablaba, me di cuenta que era un buen candidato para que se mostrara en él el poder de Dios. Entonces le invité a que viniese por la noche para orar por él en el grupo de oración.

Así fue. Todos oramos llenos de una gran confianza en el Señor. Cuando llegó a su casa había recobrado el apetito perdido por su enfermedad. Comió con cuidado debido a su estado, pero al día siguiente el hambre aumentó más y más. Entonces llamó al médico y le contó lo sucedido. El doctor le contestó: "Usted ya va a morir, dese los últimos gustitos y coma lo que quiera".

El hombre, mientras más comía, mejor se sentía, subió de peso y sus mejillas recobraron el color de una persona saludable. Después de algún tiempo, fue dado de alta y llegó a tener hasta dos trabajos.

Lo que me sorprendió más de este caso fue que posteriormente contó que un día, en medio de la enfermedad se dijo a sí mismo: Si me quiero sanar de este cáncer físico, lo primero que tengo que hacer es sanarme del cáncer espiritual del pecado. Y después de 17 años de estar lejos de Dios lo buscó y lo encontró. Hizo una confesión con gran devoción y recibió la Sagrada Comunión. También contó que varias veces había mandado celebrar el Santo Sacrificio de la Misa en un santuario famoso de su país, y que decía al Señor; "Ahora sí, haz de mí lo que quieras, como quieras, y a la hora que quieras, y bendice abundantemente a mi médico".

En este caso se pueden identificar claramente los cuatro pasos que una persona debe dar al encontrarse enferma:

- Vuelta a Dios: Lo hizo después de 17 años.
- Arrepentimiento: Se confesó.
- Hacer ofrendas: Mandó celebrar la Santa Misa.
- Recurrir al médico: Se puso en sus manos para que la tratara y oró por él.

IV

EL PERDÓN SANA

Cuando alguien nos hiere y nos apegamos a esa herida no podemos amar. Interponemos un muro entre esa persona y nosotros y, hasta cierto punto, extendemos este muro para excluir también a los demás.

Cuando herimos a alguien o hacemos algo que nos avergüenza, nos encerramos en nuestra culpa y entonces nos sentimos incapaces para decir: "lo siento", o demasiado paralizados por la aversión hacia nosotros mismos como para abrirnos hacia los demás. El perdón capacita para amar y crecer, tanto a quien lo otorga como a la persona que lo acepta. Nos reconcilia con los demás, cura el espíritu y en una gran mayoría de veces también el cuerpo.

Una señora que estaba invadida por la artritis, me vino a pedir oración de sanación. Para caminar necesitaba de la ayuda de las muletas. Después de conversar con ella descubrí que tenía odio a su nuera, casada con su único hijo, mientras que por otro lado tenía un gran amor por su único nieto.

Después de hacer oración de sanación interior y de alabar a Dios por ese nieto tan precioso, la señora se dio cuenta que gracias a su nuera tema un nieto tan lindo. Al final de unas horas de oración, la señora se fue a su casa muy restablecida llevando en sus manos sus propias muletas. Había perdonado y sanado.

A. QUÉ ES EL PERDÓN

a. El perdón es una decisión

Es algo independiente de sentir o no sentir. Me decido a perdonar aunque no sienta. Catherine Marshall en su libro "Algo Más" cuenta que ella y su marido tenían dificultades que parecían obstaculizar sus oraciones.

Entonces decidieron tomar al pie de la letra las palabras de Jesús:

Si, pues, al presentar tu ofrenda en el altar
te acuerdas que un hermano tuyo
tiene algo contra ti,
deja tu ofrenda allí delante del altar,
y vete primero a reconciliarte con tu hermano:
Mt 5,23-24.

Todos los días escribían en un papel cualquier queja que tuvieran contra alguien; lo leían en voz alta y rompían el papel.

b. Es una decisión de amar

Esto es lo que hace Dios con cada uno de nosotros y su ejemplo debe llevarnos a hacer lo mismo. Nosotros nos decidimos a perdonar y a aceptar su perdón, y cuando hacemos esto nos amamos a nosotros mismos y amamos al otro.

c. Es una decisión de amar hasta a los enemigos

Nótese que el mandamiento de amar es hasta a aquellos que nos odian. Porque si amamos sólo a aquellos que nos aman, no nos comportamos en nada diferente a como se comportan los paganos.

Si aman a los que los aman, ¿qué mérito tienen?
Pues también los pecadores aman
a los que les aman. Si hacen bien
a los que lo hacen a ustedes, ¿qué mérito tienen?
¡También los pecadores hacen otro tanto!
Si prestan a aquellos
de quienes esperan recibir, ¿qué mérito tienen?
También los pecadores prestan a los pecadores
para recibir lo correspondiente.
Más bien, amen a sus enemigos; hagan el bien,
y presten sin esperar nada a cambio,
y su recompensa será grande,
y serán hijos del Altísimo, porque él es bueno
con los ingratos y los perversos.
Sean compasivos, como su Padre es compasivo:
Lc 6,2-36.

B. QUÉ NO ES EL PERDÓN

a. El perdón no es un sentimiento

No se trata de perdonar porque lo siente el corazón. No es un acto emocional motivado por el afecto. En el perdón no trabaja tanto el corazón cuanto la voluntad y la razón.

b. El perdón no se condiciona

No es perdón lo que con frecuencia se escucha: "Yo perdono pero no olvido". O también: "Te perdono si me ofreces disculpas".

Jesús contó la historia del hijo pródigo que se fue y derrochó su herencia viviendo libertinamente. Cuando regresó venía preparado para negociar con su padre: se ofrecía como un sirviente. Pero el padre no le dejó ni siquiera terminar de hablar. Se apresuró para encontrarle, besarle, ordenar que le trajeran ropas nuevas y que además le prepararan una fiesta. No hubo términos para negociar el perdón (Lc 15,11-32).

Esta es la historia de nuestro Padre que nos ama y nos perdona sin negociar condiciones. Nos acepta tal cual somos y de esta forma nos da el poder para cambiar. Esto es lo que nos pide que hagamos los unos por los otros.

C. TRES PERDONES

¿A quiénes debemos perdonar?

Cuando un Maestro de la Ley preguntó a Jesús qué debía hacer para conseguir la vida eterna; Jesús le contestó:

Amarás al Señor tu Dios
con todo tu corazón,
con toda tu alma,
con todas tus fuerzas
y con toda tu mente;
y a tu prójimo como a ti mismo:
Lc 10,27.

Podríamos decir que así como el mandamiento nos ordena amar a Dios, al prójimo y a sí mismo, de la misma manera debemos también perdonar en esas tres direcciones.

a. Perdonar a Dios

Perdonar a Dios parece algo raro, pero existen personas con resentimientos hacia Él, culpándolo de sus desgracias y dolencias. A veces se tiene resentimiento hacia Dios por algunas cosas como la muerte de un ser querido, una oración no contestada, dolencias y adversidades que parecen como enviadas por Él, desgracias que pudieron ser evitadas, etc. De todas estas cosas que nos pueden producir un resentimiento hay que perdonar para que no obstaculicen la sanación.

Perdonamos a Dios no porque haya hecho algo malo o equivocado en nuestras confrontaciones pero nuestra psique rechazando el dolor, identifica en Él la causa. La palabra adecuada para restablecer la amistad es: "Perdonar". Es justamente esto lo que debemos hacer con Dios. Cuando una persona es desairada en sus confrontaciones, la actitud justa es decir: "Dios mío, yo te perdono".

Job reconoce esta insensatez y pide perdón:

Era yo el que empañaba
el Consejo con razones sin sentido.
Sí, he hablado de grandezas que no entiendo,
de maravillas que me superan y que ignoro.
(Escucha, deja que yo hable:
voy a interrogarte y tú me instruirás).
Yo te conocía sólo de oídas,
mas ahora te han visto mis ojos: Jb 42,3-5.

Mi padre murió despés de ser asaltado y perseguido por ladrones. En ese momento yo no conocía a Dios personalmente y pensaba: Dios debe ser malo porque envía sufrimiento y muerte a nuestra pobre humanidad.

En mi corazón guardaba sentimientos de odio y de rechazo a Dios. Lo peor es que no podía amarle. ¿Cómo podía una persona amar un ser que hubiese hecho estas cosas a nuestra humanidad?

Un día escuché hablar de la necesidad de perdonar a Dios. Hacia las personas por las que sentimos rencor, resentimiento, odio, etc., no existe otra expresión que no sea: "Te perdono". Después que pude perdonar a Dios, un obstáculo salió de mi corazón y fui capaz de experimentar su amor paterno y misericordioso.

b. Perdonar al prójimo

La Escritura está llena de este asunto. De ningún otro tema se habla tanto como del amor y del perdón porque son la esencia misma del cristianismo.

Hombre que a hombre guarda ira,
¿cómo del Señor espera curación?: Eclo 28,3.

Un odio no sólo es el mayor obstáculo para recibir sanación sino que muchas veces es causa de enfermedades. ¿Cómo esperar la curación sin extirpar la raíz de la misma?

El autor sagrado nos previene:

No digas: voy a devolver el mal.
Tú confía en Dios y él te salvará:
Prov 20,22.

Es decir, no tomes por tu cuenta la venganza. Confía tu causa al Señor y vence el mal haciendo el bien (Cf. Rom 12,19-21).

Todo cuanto pidan en la oración,
crean que ya lo han recibido y lo obtendrán,
y cuando se pongan de pie para orar, perdonen,
si tienen algo contra alguno:
Mc 11,24-25a.

Perdónanos nuestras deudas, así como nosotros
hemos perdonado a nuestros deudores:
Mt 6,12.

En estos textos se nota claramente la necesidad de perdonar para ser sanados, escuchados y perdonados. Bastaría que sólo rezáramos bien un "Padre Nuestro" para que acabaran las luchas y divisiones, viviendo la civilización del amor.

Una persona que no quiera perdonar no puede rezar al Padre Nuestro so pena de estar pidiendo su propia condenación, pues está pidiendo a Dios que le haga lo mismo que Él hace con otros.

Si, pues, al presentar tu ofrenda en el altar
te acuerdas entonces de que un hermano tuyo
tiene algo contra tú, deja tu ofrenda
allí delante del altar, y ve primero
a reconciliarte con tu hermano;
luego vuelves y presentas tu ofrenda:
Mt 5,23-24.

San Juan Crisóstomo dice que tal es la misericordia del Padre que atiende más a nuestro provecho que al honor del culto. En esta cita hay algo muy interesante y es que Dios exige que pida perdón quien primero se acuerde del problema. No dice que pida perdón el que primero haya ofendido.

Si en los primeros textos se nos recalcaba nuestra responsabilidad de perdonar a quien nos había ofendido, en este pasaje se nos aclara que hemos de pedir perdón a quien nosotros hemos ofendido. ¿Cuántas veces?

Pedro se acercó entonces y le dijo:
"Señor, ¿cuántas veces tengo que perdonar
las ofensas que me haga mi hermano?
¿Hasta siete veces?".
Le dijo Jesús: "No te digo hasta siete veces,
sino hasta setenta veces siete": Mt 18,22.

Perdonar setenta veces siete significa perdonar siempre. La parábola del siervo que no quería perdonar a su prójimo es terrible al describir las consecuencias de no perdonar: (Cf. Mt 18,23-35).

Perdonen y serán perdonados: Lc 6,37.

Algunos escrituristas traducen por absolver, que es un término más amplio aun que perdonar. Es disculpar todas las fallas ajenas. Es no verlas.

Si alguno dice: "Amo a Dios",
y aborrece a su hermano, es un mentiroso;
pues quien no ama a su hermano, a quien ve,
no puede amar a Dios a quien no ve:
1Jn 4,20.

Es ser un hijo del diablo, quien es padre de la mentira y mentiroso desde el principio (Cf. Jn 8,44).

Otros textos que conviene consultar: Eclo 10,6; Prov 19,11.

Una señora de setenta años nos comentó que sufría de asma desde los siete años. Cuando le preguntamos qué hecho negativo o triste recordaba de aquel perío-do de su vida, ella nos dijo que había sido violada por su padre el cual la amenazaba con matarla si hablaba, apuntándole con un cuchillo. Poco tiempo después ella notó dificultad para respirar cada vez que miraba a su padre o a algún otro hombre. Ella nos decía que había perdonado a su papá que tenía 93 años y la prueba era que lo cuidaba con cariño.

Después de haber discernido pensamos que era nece-sario perdonar a su padre más explícitamente dicién-doselo. Ella volvió a su casa y le dijo: Papá, gracias por el don de la vida. Si yo vivo es porque tú me has engendrado. Que Dios te bendiga. Muy sentido por estas palabras comenzó a llorar y fue en ese momento que la mujer advirtió que sus pulmones habían dejado penetrar el aire.

Algunos meses después regresó diciendo que se sentía mejor, pero que le molestaba una extraña tos seca. Le pedimos que volviera a lo de su papá y una vez más le agradeciera con signos de afecto y de amor. Casi un año después la volvimos a ver y nos contó que había desaparecido todo rastro de la enfermedad.

c. Perdonarse a sí mismo

Así como es muy difícil amar si primero no se ama a sí mismo de la misma manera es muy difícil perdonar si primero no se perdona a sí mismo. El siguiente testimonio muestra la importancia de perdonarse a sí mismo.

Una vez tuve la debilidad de contestarle duro y rudamente a mi madre que se encontraba en una silla de ruedas, lo que produjo unas cuantas lágrimas.

Por el momento no tuve valor para pedirle excusas y perdón. Sólo lo hice a Dios por el sacramento. Cuando estaba moribunda le pedí perdón por aquella circunstancia y fui contestado con un apretón de manos.

Sin embargo, un profundo complejo de culpa me invadía siempre. Al consultar con una persona me dijo: "Tú le pediste perdón a Dios por el sacramento y Él te lo concedió. Le pediste perdón a tu madre y también ella te lo otorgó. Pero tú no te has perdonado a ti mismo. Hazlo y te sentirás mejor". Efectivamente, una vez que hice este acto de perdón y amor a mí mismo, desapareció el complejo de culpa.

D. NORMAS PRÁCTICAS PARA PERDONAR

a. Declarar a todos inocentes

Mucha gente quiere perdonar y no puede. Es algo que aun teniendo buena voluntad, no lo logra obtener. Pero Jesús crucificado nos da la clave para llevarlo a cabo.

Jesús gritó en la cruz:

Padre, perdónales porque no saben lo que hacen:
Lc 23,34.

Creo que Jesús dio el secreto para perdonar fácilmente y por eso dijo: *"...porque no saben lo que hacen".* La mayoría de la gente que ofende no se da cuenta cuando lo hace.

El maligno podrá poner la tentación de decir que quienes nos ofenden sí se dan cuenta, pero con fe respondamos que no se dan cuenta, y por lo tanto, son inocentes y no podemos culparlos: los declaramos inocentes.

Muy probablemente si hubiéramos preguntado a los soldados que crucificaron a Jesús: ¿Qué hacen ustedes? Nos hubieran respondido: ¿No ven? estamos clavando y crucificando a este malhechor. Significa que en la práctica, algunas veces parece que son conscientes de sus hechos, pero en realidad no lo son. Los soldados no se dieron cuenta de lo que hacían:

Por su parte, el centurión
y los que con él estaban guardando a Jesús,

al ver el terremoto y lo que pasaba,
se llenaron de miedo y dijeron:
"Verdaderamente éste era Hijo de Dios":
Mt 27,54.

San Pablo en su Primera Carta a los Corintios lo da a entender cuando dice:

Hablamos de una sabiduría de Dios,
misteriosa, escondida, destinada por Dios
desde antes de los siglos para gloria nuestra,
desconocida de todos los príncipes de este mundo,
pues de haberla conocido
no hubieran crucificado
al Señor de la Gloria:
1Cor 2,7-8.

Declarar inocentes a los que nos ofenden porque no saben lo que hacen no quiere decir que objetivamente ellos no han hecho nada malo, sino que subjetivamente desde nuestro interior los declaramos inocentes por amor cristiano.

b. Creer no tener adversarios

El Hermano Roger, fundador de la comunidad ecuménica en Taizé, Francia, dice que una condición para lograr la reconciliación es liberarnos del hábito de creer que siempre tenemos un oponente, o sea, alguien que no está de acuerdo con nosotros, sea fundada o infundadamente.

No perdamos tiempo y energías tratando de averiguar quién está en lo cierto o quién está equivocado, o en confrontaciones que no dejan ningún fruto.

Acerquémonos no sólo a las personas que son como nosotros sino también hacia aquellas diferentes en opiniones y sentimientos.

c. Aceptar no ser aceptados

Una de las cosas que hieren y es causa de grandes odios, es el rechazo o la indiferencia.

Todos, más o menos, hemos sido afectados en el área de la aceptación.

Hay un principio sapientísimo que si lo practicamos en nuestra vida, nos ayudará a sanamos de los rechazos recibidos y dice: Aceptar que no podemos ser aceptados por todos. Cuando aceptemos que no podemos ser aceptados por todos tendremos mucha paz.

El Padre Ignacio Larrañaga insiste mucho en esta tercera norma, haciendo notar cómo Jesucristo en sus noches de oración, oraba para sanarse de la no aceptación por parte de los fariseos que a diario se oponían durante sus predicaciones. De no haberlo hecho, Jesús hubiera sido una persona altamente agresiva.

Una persona nos cuenta: "cuando acepté que no todos me aceptaban recobré la paz que perdí cuando me di cuenta que no todos me aceptaban".

d. Orar por aquellos que nos insultan

En el Evangelio Jesús nos ofrece muchos métodos para poder personar. Pero siempre la oración resulta el medio más eficaz (Cf. Lc 6,27).

E. PASOS PARA EL PERDÓN

Todos tenemos dificultades con el perdón, sea para perdonar o para pedir perdón, para aceptarlo cuando nos lo ofrecen o hasta para perdonarnos a nosotros mismos. Ofrecemos aquí algunas ayudas para lograrlo.

a. Reconocer la equivocación

Así lo hizo el Rey David:

En tu presencia sólo he pecado: Sal 51,6.

El sentimiento de culpa sin pedir perdón se hará más profundo y difícil de sobrellevar.

b. Quiero perdonar

Tomar la decisión de perdonar, aún no es perdonar, pero está en el camino. Haga algo. Tome alguna medida lo más pronto posible: una carta, una palabra, un acto amable, un abrazo, una plegaria, etc.

c. Piense en la otra persona

A veces nos dañan sin querer. Considere esa posibilidad y pregúntese: ¿Qué presión estaba sufriendo esta persona? ¿Qué hubiese hecho yo en esas circunstancias?

d. Perdono

El perdón es total o no es perdón. Es un riesgo y los riesgos rara vez son fáciles. Sobreponerse al miedo de ser herido es el precio del amor.

e. Sanación interior para curar heridas

Piense lo que sería que le perdonaran por el mayor daño que haya hecho. Usted puede dar este regalo también.

f. ¿Si la persona no quiere ser perdonada?

El perdón se puede conceder silenciosamente con el corazón. Confiando en el misterio del poder de Dios, una plegaria que lo una con su ofensor puede tener un efecto mayor de lo que uno cree.

F. PERDONAR PARA SANAR

La inmensa mayoría de la humanidad vive en el pasado. Sufriendo por lo que ya no existe, acordándose de las heridas que los demás ya han olvidado. Por ejemplo, en un matrimonio disuelto, uno de ellos puede sufrir con las heridas frescas, lleno de odio y sufrimiento, mientras que el otro quizás vive indiferente a este sufrimiento, olvidado por completo del pasado y feliz con su presente. Hay que soltar el pasado como un carbón encendido en la mano; hay que soltarlo porque nos quema.

Transcribo a continuación la carta de fecha 28 de mayo de 1984, de una joven de Formosa, Argentina:

Rvdo. Padre:

Soy una formoseña de quince años. Su visita a nuestra provincia nos alegró muchísimo; no sólo a mí, sino a toda mi familia. Voy a contarle la razón por la cual me atrevo a escribirle:

Mi padre es un hombre muy frío, fuma y toma, nunca va a misa y habla muy mal de los sacerdotes. Siempre nos trata mal, en especial a mi madre. Yo estoy muy triste, porque a causa de eso, ella se encuentra hospitalizada en un centro de salud de Buenos Aires (le ruego orar por ella).

Tengo muchos hermanos, y todos sufrimos mucho porque tenemos un padre y no nos muestra su amor. Al contrario, nos maltrata y cuando queremos hablarle hasta da vuelta a su cara para no escucharnos. El sábado él asistió a la Reunión Carismática en el estadio. Cuando regresó lo noté cambiado. Nos llamó a todos y nos contó todo lo que vio. Luego nos pidió perdón y hasta lloró. Yo me quedé asombrada. Nunca había visto llorar a mi padre. Es la primera vez en quince años.

Me he dado cuenta que mi papá tiene un corazón muy grande (como decía mi mamá). Hoy descubrí y sentí que mi papá nos quiere. Al descubrir todo esto, sentí la curiosidad de conocerlo a usted. El domingo fui estadio y realmente Dios es maravilloso. ¡Qué bueno Dios! Dios cambió a muchas personas. Hasta yo misma me siento cambiada. Gracias padre. Muchísimas gracias.

Una hermana en Cristo.

En esta carta vemos, cómo gracias al perdón, esta jovencita ha podido sanar las heridas del pasado causadas por su padre. El padre pide perdón para no sufrir ni hacer sufrir.

El obstáculo mayor para la curación es el rencor que muchas veces causa enfermedades espirituales y físicas, lo certifica el siguiente testimonio:

En una oración de curación que se realizó en la Igle-
sia de Chinandega, Nicaragua, se presentó un joven
soldado con muletas, por un problema en una de sus
piernas.

Al orar por él advertimos que tenía mucho odio por el
exgobernante de Nicaragua el general Somoza. Se le
sugirió que ante todo perdonara a Somoza como prin-
cipio de una buena curación. El soldado se negó.

Después de un diálogo, el muchacho dijo: "Voy a per-
donar, porque me estoy dando cuenta de que yo creía
que Somoza estaba equivocado. Pero, a lo mejor, el di-
ría que el equivocado era yo. Así que me decidí a per-
donarlo.

En ese momento el joven soldado experimentó
un calor en su pierna y la desaparición del dolor, pudiendo caminar sin dificultad y salir cargando sus
propias muletas.

G. ¿REALMENTE TENEMOS ENEMIGOS?

En el Evangelio se encuentran las normas dadas
por Jesús para cuando realmente puede existir un
enemigo en la vida:

- *Tengan amor por sus enemigos.*
- *Hagan bien a los que les odian.*
- *Bendigan a los que les maldicen.*
- *Oren por los que les insultan:*
Lc 6,27-28.

Hay que actuar así, porque de lo contrario no habría ninguna diferencia con los que no son cristianos.

Si aman a los que los aman, ¿qué mérito tienen?
Pues también los pecadores
aman a los que les aman: Lc 6,32.

Una forma fácil para comenzar una amistad con un enemigo es a través del diálogo. Pero teniendo en cuenta que hay que dar un primer paso: buscar a la persona. No espere a que el otro lo busque. No espere a encontrarle por coincidencia, ni que él le busque, aun cuando esto pueda ocurrir. Tome usted la iniciativa. Si actuamos de esta manera ya no tendremos enemigos, no porque los hayamos eliminado, sino porque los hemos transformado en amigos.

H. ORACIÓN DE PERDÓN

El Padre Roberto De Grandis compuso la siguiente oración para conseguir perdonar:

Señor Jesucristo, hoy te pido la gracia de poder perdonar a todos los que me han ofendido en la vida. Sé que tú me darás la fuerza para perdonar. Te doy gracias porque tú me amas y deseas mi felicidad más que yo mismo.

Señor Dios yo te perdono por todas las veces que pensé que tú enviabas la muerte a mi familia y la gente decía que era "la voluntad de Dios". Si ha habido algún resentimiento subconsciente en mí, yo te perdono Señor.

Yo te perdono también por las dificultades, problemas económicos y castigos, ya que pensaba que tú los enviabas a mí y a mis familiares. Señor, es Posible que de niño haya guardado estos resentimientos, pero ahora yo te perdono.

Señor, me perdono A MÍ MISMO por mis pecados, por mis faltas y mis caídas. Por todo lo que es verdaderamente malo en mí, por todo lo que pienso que es malo, me perdono a mí mismo.

Me perdono por cualquier participación en espiritismo, brujerías, horóscopos, consultas de adivinos, búsquedas de suerte. Por tomar tu Nombre sin necesidad, y por no adorarte como tú te mereces.

Por haber herido a mis padres, por emborracharme, por drogarme, por mis pecados contra la pureza, por adulterio, por aborto, por robar, por mentir, por todo esto me perdono sinceramente. Gracias Señor por tu gracia en este momento.

Yo perdono sinceramente a mi MADRE, yo le perdono todas las veces que ella me hirió, me causó resentimiento, que se enojó conmigo y todas las veces que ella prefirió a mis hermanos y a mis hermanas y no a mí. Le perdono las veces que me dijo: tonto, feo, estúpido, el peor de todos mis hijos y porque dijo que le costé mucho dinero. Por las veces que ella me dijo que no era deseado, que vine a este mundo por casualidad, o que no era lo que ella había querido, que fui una equivocación. Yo la perdono de todo corazón.

Yo perdono a mi PADRE. Yo le perdono por las veces que no me ayudó por su falta de amor, afecto y atención. Yo lo perdono por su falta de tiempo y de no estar conmigo dándome su compañía. Yo le perdono sus hábitos de beber, sus discusiones y peleas con mi madre y con mis hermanos. Por sus castigos severos, por abandonamos, por haberse alejado de casa, por divorciarse de mi madre y por las veces que prefirió estar fuera de casa. Yo lo perdono.

Señor, quiero que mi perdón llegue a mis HER-MANOS y HERMANAS. Perdono a los que rechazaron, mintieron acerca de mí, que me odiaron y guardaron rencor, me castigaron. A los que me hirieron física y espiritualmente. Aquellos que eran demasiado severos conmigo, me castigaron y que de alguna manera me hicieron la vida desagradable. Yo les perdono.

Señor, yo perdono a mi ESPOSA(O). Por su faltas de amor, afecto, consideración, apoyo, atención, comunicación; por su faltas, sus caídas, sus debilidades, sus acciones y palabras que me hirieron y me molestaron. Yo le perdono.

Jesús, perdono a mis HIJOS por sus faltas de respeto, obediencia, amor, atención, apoyo, afecto y comprensión; sus malos hábitos, el no querer a la Iglesia, y todas las acciones que me molestaron.

Dios mío, perdono a mi YERNO, a mi NUERA y a otros parientes relacionados con mi matrimonio, a aquellos que trataron a mis hijos sin amor. Por todas sus palabras, pensamientos, acciones y omisiones que me hicieron daño y causaron dolor. Yo les perdono, Señor.

Señor, ayúdame a perdonar a mis SUEGROS, a mis ABUELITOS y ABUELITAS, a todos los que hayan interferido con mi vida familiar y hayan sido posesivos en relación a algún aspecto de mi vida. Yo les perdono.

Jesús, ayúdame a perdonar a MIS COMPAÑE-ROS DE TRABAJO, que me desagradan y que me hacen la vida molesta. A aquellos que me recargan de tareas, que me critican, que no cooperan conmigo, y a los que se esfuerzan por quitarme mi trabajo. Yo les perdono.

También perdono a mi OBISPO, a mi PÁRRO-CO, a mi IGLESIA, a mi COMUNIDAD por su falta de apoyo, su mezquindad, falta de amistad, por no alentarme como debían, por no ser una inspiración para mí, por no ponerme en puestos que yo me sentía capacitado, por no invitarme a servir en tareas que yo creía podría ser útil y por todas las heridas que me causaron. Yo les perdono.

Señor, perdono a todos los PROFESIONALES que de alguna forma me hirieron: doctores, enfermeras, abogados, policías, empleados de hospitales. Por todo lo que me han hecho, yo les perdono.

Señor, yo perdono a mi JEFE DE TRABAJO por no pagarme lo debido, por no apreciar mi trabajo, por no ser bondadoso y razonable conmigo, por tener mal carácter, ser poco amistoso, por no darme un puesto mejor y no felicitarme en mi trabajo cuando lo merecía. Yo le perdono.

Señor, perdono a mis PROFESORES E INSTRUC-TORES, tanto del pasado como del presente. A aquellos que me castigaron, me humillaron, insultaron, fueron injustos conmigo, se burlaron, me dijeron tonto, estúpido e hicieron que me quedara después de clase. Yo les perdono.

Señor, perdono a mis AMIGOS que hablaron mal de mí, que perdieron contacto conmigo, que no me dieron apoyo, que no estuvieron disponibles cuando yo los necesitaba, a los que les presté dinero y no me lo devolvieron, yo les perdono.

Señor Jesús, yo oro en forma especial para obtener la gracia de perdonar a la PERSONA QUE ME HAYA OFENDIDO MÁS.

Yo te pido poder perdonar a quien considero mi peor enemigo, al que me cuesta más perdonar, o por el que dije que nunca lo perdonaría.

Gracias Señor, porque tú me libras del mal y me ayudas a perdonar. Gracias por tu amor y tu paz. Haz que tu Espíritu Santo ilumine todos los rincones de mi mente. Amén.

Perdón

Tengo al perdón... el alma tan dispuesta
como sorda a la ofensa y al halago
y... ni el mal que recibo, ni el bien que hago
merecen alabanzas ni protestas.

La mala voluntad no me molesta
ni el injusto desdén me causa estrago;
al sentir la traición o algún amago
siempre doy el perdón como respuesta.

Soy feliz... porque el mal que recibí
lo fui lanzando con desdén profundo
al abismo insondable del olvido.

Pedro Elizande Descalzo.

V

BAÑO DE LUZ

A. QUÉ ES

Un baño de luz no es otra cosa que, con la ayuda del Señor Jesús, tratar de encontrar:

- Una respuesta a algo que nos molesta y nos hace sufrir.
- Una razón a aquello que nos impide ser felices y no nos permite progresar espiritualmente.
- La causa a un bloqueo o trauma.
- Una luz para aquella oscuridad que produce una parálisis en la vida espiritual.

Ejemplo: Una persona que vive siempre agresiva, malhumorada, todo le disgusta, nada le agrada, etc. Este estado tiene una causa, pero en muchas ocasiones no se sabe cuál es. Entonces se le pide al Señor que la manifieste, la ilumine, la saque a flote. Jesús que es luz viene a iluminar y sanar. La presencia de Dios es sanadora.

Para ilustrar mejor lo que es un "Baño de luz" transmitimos el caso de una religiosa que hacía treinta y dos años estaba en el convento.

Durante los primeros veinte años viví muy feliz. Pero durante los últimos doce años sufrí un infierno. No quería a nadie, ni nadie me quería. Pedí ayuda para remediar mi mal y me aconsejaron un baño de luz.

Por la noche, estando en la capilla le dije al Señor:

- *Señor Jesús: ilumíname, ¿cuál es la causa por la cual he vivido tan aburrida en el convento en estos últimos doce años?*

Vi entonces que del sagrario salía el Señor Jesús e iba acercándose muy sonriente y muy amoroso. Me quede mirándole y cuando ya le tuve cerca le volví a preguntar:

- *Señor, ¿Por qué vivo tan aburrida en mi vida religiosa? ¿Por qué no tengo la alegría del principio? El Señor me contestó: ¿Qué relación hay entre esas revistas que estás leyendo y yo? ¿Por qué pasas tanto tiempo entretenida hojeándolas?*

- Señor, pero esas revistas no son pornográficas...

Y el Señor me dijo:

- *Precisamente porque no son pornográficas las lees, pero te están llenando del mundo de vanidades que te vacían de mí y te disipan. Tú ya no sientes lo que antes sentías por mí. Ni lo mío te enamora,*

*ni te atrae. Esta es la razón por la que vives tan
aburrida en la vida religiosa.*

Esta religiosa hacía exactamente doce años que
estaba leyendo revistas del mundo que en vez de llevarla a enamorarse del Señor cada vez más, lo que
hacían era distraerla y separarla de su amor, y le habían arruinado su vida de oración. El baño de luz le
hizo conocer el origen de su problema.

En un retiro en Guatemala, mientras hacía el
baño de luz una de las asistentes narró la siguiente
experiencia:

*Cuando sentí la presencia del Señor empecé a hablarle
y me sentí muy disgustada con Él y le reclamé llo-
rando que no me amaba y nunca me había amado. El
Señor me contestó:*

- *Yo siempre te he amado.*

Entonces yo le reclamé:

- *Yo no creo que tú me ames, porque si tú me hubieras amado, no me hubieras quitado a mi madre a la
edad de ocho años.*

*En ese momento sentí como el Señor me recostaba con-
tra su pecho y con mucho cariño y amor me acariciaba
y me secó las lágrimas. Mirándome me dijo:*

- *¿Crees que no te amo porque me llevé a tu madre?
¿Sabes? Cuando vine a buscarla era porque ya había cumplido la misión que le había confiado, y esa
misión era darte la vida. Yo estoy satisfecho con
ella, y quise traerla conmigo para darle el premio
que le tenía prometido. ¿O crees que hubiera sido
mejor que ella estuviera hoy contigo pasando estos
años paralizada y enferma como estaba?*

Sentí que Jesús me colocaba sobre los brazos de la Santísima Virgen y me decía: Mira hija, sí has tenido madre. No has estado sola nunca, mi madre que también es tu madre ha estado contigo y te ha acompañado siempre. Sentí que la Virgen me abrazaba y me acariciaba, al tiempo que me cubría con su manto y me decía:

- *Hija, siempre he estado contigo. Te amo mucho. Eres mía.*

Entonces sentí que mi vida se llenaba de alegría. Luego Jesús me miró y me dijo:

- *¿Por qué no me entregas a tu mamá? ¿Puedo llevarla conmigo? Por primera vez puse a mi madre en las manos del Señor y la recordé con profunda paz.*

Luego el Señor me dijo:

- *Voy a mostrarte que sí te amo y que nunca te he olvidado y siempre he estado contigo. ¿Quieres ver cómo te amo? ¿No te has dado cuenta que te di un esposo y unos hijos que te aman y se preocupan por ti? ¿No eres feliz en tu hogar? Hija, yo amo a los míos dándoles lo que necesitan.*

Entonces sentí que me abrazó y me dijo:

- *Yo soy tu verdadero Padre. Mi madre y yo te amamos y estamos siempre contigo.*

Comencé a llorar, pero de gozo y con paz. Nunca había sentido tanto amor en mi vida. Por primera vez pude perdonar al Señor por ese resentimiento tan fuerte que había en mi corazón y nunca había apreciado el amor, cariño, comprensión y bondad de mi esposo y de mis hijos.

B. DIFERENCIA CON LA SANACIÓN INTERIOR

La sanación interior es para sanar una herida específica, que se sabe y se conoce. El baño de luz es para pedir al Señor que ilumine el por qué de algún mal, su razón o causa. Es algo desconocido.

La sanación interior necesita la ayuda y discernimiento de otra persona que ore por nosotros. El baño de luz se lo puede hacer la persona misma. Esta es la diferencia más peculiar.

En el siguiente testimonio encontramos a una persona que necesitaba luz en sus relaciones interpersonales. Durante el "baño de luz" le preguntó al Señor:

Jesús, ¿por qué me cuesta tanto trabajo dar el primer paso de reconciliación, y siempre espero que sea la otra persona quien lo haga?

Porque tú te ves a ti y no a mí. Tú siempre te juzgas bueno, que no tienes la culpa y no te fijas que yo, inocente, tomé la iniciativa para perdonar a los pecadores. Si en esos momentos, en vez de señalar culpables y condenarlos, me miraras a mí y me preguntaras qué haría yo en ese caso, encontrarías la respuesta.

C. TEXTOS BÍBLICOS

Algunos textos bíblicos nos iluminan maravillosamente en qué consiste el baño de luz: Jesús, luz del mundo (Jn 12,46) ilumina a todo hombre (Jn 1,9) para que el que crea en Él no permanezca en tinieblas (Jn 12,46) sino que tenga la luz de la vida (Jn 8,12). Quien rechaza la luz se cierra a la salvación gratuita ofrecida por Dios (Jn 3,19-21).

Así como Dios lo primero que creó fue la luz (Gen 1,3), así para re-crearnos, hacemos nuevas criaturas (2Cor 5,17) ha hecho brillar su luz en nuestros corazones para transformarnos en Cristo, en luz para los demás; es decir, agentes de salud y salvación (2Cor 4,6).

No hay nada que pueda quedarse escondido a la luz de Dios. No hay secreto que no llegue a saberse (Mc 4,22). Si con fe y sobre todo con sinceridad le pedimos al Señor Jesús que nos ilumine y sane nuestros males, no hay nada que Él no quiera y pueda hacer: Al ser denunciadas, se manifiestan a la luz. Pues todo lo que queda manifiesto es luz, por eso se dice:

Despierta tú que duermes,
y levántate de entre los muertos,
y te iluminará Cristo: Ef 5,13-14.

El que se acerca a la luz queda iluminado, como el que se acerca al calor se calienta, o el que se acerca al frío se enfría.

Por las entrañas de misericordia de nuestro Dios,
que harán que nos visite una Luz de la altura,
a fin de iluminar a los que habitan en tinieblas y
sombras de muerte y guiar nuestros pasos
por el camino de la paz: Lc 1,78-79.

Este texto es clarísimo para ver qué es el baño de luz: ilumina una tiniebla, un problema, una dificultad y como consecuencia, guía, lleva y da la paz.

Otros textos muy ricos sobre el tema de la luz de Dios que ilumina para sanar son: Sal 18,29; Lc 1,78-79; Jn 1,4-5; Hech 9,3; Rom 13,11-14; 2Cor 4,3-6; Ef 5,8-9; Col 1,10-14; 1Tes 5,2-9; St 1,17; 1Jn 1,5-7; Ap 21,23-24. Especialmente es de excepcional belleza el siguiente Salmo que dice:

YHWH es mi Luz y mi Salvación,
¿A quién temeré?
YHWH es el refugio de mi vida,
¿por qué he de temblar?:
Sal 27,1.

Un día, en un retiro, una persona me dejó un mensaje en el altar. Me impresionó tanto que lo guardé para orar por ella. Decía así:

Desde hace muchos años estoy muy enferma, debido a la traición de un médico. De este incidente me vino insomnio y un nerviosismo que me mata todavía. Por esta causa me vino la alta presión arterial. Para curarme me pusieron una dieta que resultó muy dañosa para mí. Por necesidad, me vi obligada a hacer limpieza en un lugar seco, sucio, lleno de lana y polvo. Esto me hizo contraer una bronquitis que desde hace un año me ha puesto tan mal que una noche la pasé casi sin respirar ya que tenía la nariz tapada.

Por no recibir inmediatamente la atención adecuada del hospital sufrí un infarto. Por esta razón, padezco invalidez. Hace muchos años me hicieron un maleficio: jamás puedo bañarme, ni mojarme siquiera. Una persona "muy piadosa", me ha hecho ese mal tan grave en mi salud y en otras áreas de mi vida.

Soy vieja, pero jamás sentí la vejez como ahora; enferma del corazón, bronquitis crónica y unos dolores terribles que entiendo son en las arterias del tórax, pues me dan por delante y por la espalda; son dolores matones. Además, terrible asfixia por las noches. Ahora sí parezco una vieja. Me da pena estar tan fea y tan inútil, molestando a todo el mundo. Me muero de miedo, siempre he sufrido miedo y vergüenza. Permanentemente tengo la nariz tapada y sufro también de otros muchos males. Pido ayuda, de otro modo ya no estaría viva.

Afectísima amiga N.N.

Poco tiempo después de ese retiro donde les sugerimos que escribieran al Señor me llegó esta bellísima carta:

Padre, soy la persona que le envió un escrito y se lo dejé sobre el altar contándole que un médico había abusado de mí. Durante el baño de luz pregunté al Señor por qué vivía tan enferma del alma y del cuerpo. Él me dijo:

Querida hija: Es cierto que la causa de tus males comienza con la deshonestidad de ese médico, pero también debes saber que mi ley es amar y perdonar hasta los enemigos. Así soy yo. Si se aman los unos a los otros, el mundo va a saber que ustedes son mis discípulos. Este es el único signo por el que los van a identificar como míos. Date cuenta muy clara de que hay que amar y perdonar a los enemigos porque así lo hice yo que los amé a ustedes cuando todavía eran malos y pecadores.

Aunque tú ya te has confesado del incidente con el médico, sin embargo lo odias inconscientemente en tu corazón. Perdónalo, pero ojalá se lo dijeras personalmente, diciéndole al mismo tiempo que yo lo amo por sus debilidades y pecados, que se vuelva a mí para sanarlo. Yo te amo mucho y te tengo en mi corazón. Jesús.

Padre Darío, quiero que sepa que lo hice, y no puedo expresar lo que sentí. Nunca antes había tenido tanta paz, todo se ha transformado, amo mucho, hasta el punto de que todo me parece lindo, hasta las personas de mi mismo sexo me parecen hermosas todas. Todo me gusta, todo me agrada. Bueno, estoy de luna de miel con Jesús. Pero lo más importante era decirle que estoy sana de todos los males físicos y espirituales. Hasta la cara como que se me desarrugó. Alabado sea Jesús. Con afecto.

Una agradecida con Jesús

Respuesta inmediata

Los testimonios recibidos certifican que nuestro Dios nos responde inmediatamente cuando le pedimos que nos bañe con su luz. Si la luz recorre 300 mil kilómetros por segundo, la luz divina es todavía más veloz para darnos vida en abundancia.

Una señora que tenía problemas por infidelidades constantes de su esposo, preguntó al Señor:

- *Señor, ¿qué debo hacer con tanta infidelidad de mi esposo?*
- *Perdón.*
- *Lo que pasa es que perdonándolo se aprovecha de mi perdón. Ya me cansé de perdonarlo.*

- *Cuando te digo "perdón" no me refiero a que le perdones sino a que le pidas perdón por no ser la mujer que él anda buscando y no encuentra.*

Pídele perdón por no atenderlo como él necesita. Pídele perdón por juzgarlo y condenarlo, por no ser solícita y cariñosa como lo eres con otras personas.

D. CÓMO SE HACE

El baño de luz es un método de oración inspirado en los métodos de meditación de los santos místicos de la Iglesia Católica: San Ignacio de Loyola, San Juan de la Cruz y Santa Teresa de Ávila. Ellos aconsejan utilizar la imaginación para no distraerse en la oración.

Por ejemplo: San Ignacio de Loyola en el libro de ejercicios espirituales y en todas y cada una de sus meditaciones aconseja hacer una composición del lugar, que se mire con los ojos de la imaginación el lugar que se desea meditar, que se perciban con el oído los ruidos, las voces, etc. que se huelan con el olfato los perfumes, los aromas, o se sienta el olor del humo, etc. que se saboreen las cosas dulces o amargas; etc. que se toquen las cosas meditadas. Santa Teresa de Ávila, en el libro de la vida cap. 22,6,9 dice que en la oración es necesario imaginar a Jesús en forma muy humana, muy cerca de uno.

a. Lugar tranquilo

Se necesita ante todo un *lugar tranquilo* que invite a la oración, al diálogo. En Mc 5,37-40 vemos cómo el Señor Jesús se quedó sólo en la habitación con los padres de la niña y algunos de sus discípulos. Es decir, hizo un ambiente de recogimiento para orar. Es muy importante calmar el espíritu para entrar en oración.

Jesús se retiraba a lugares solitarios para orar (Cf. Mt 14,23). Es casi imposible orar en público con gente que conversa, o con personas que se movilizan de un lado a otro, o tienen la televisión o la radio encendida, etc.

b. Jesús muy humano

Se debe *imaginar al Señor Jesús de una manera muy humana*, algo así como se apareció a sus discípulos después de su resurrección, y aunque su cuerpo ya está glorioso, no debe verse con rayos o luces, sino sonriendo y con sus llagas en sus manos y sus pies, como invitándonos a meter nuestros dedos en sus llagas, como lo hizo con su apóstol Tomás. Es necesario representarnos la persona del Señor de la manera más imaginativa y positiva posible.

Bárbara Shlemon, en su libro "La Oración que Sana" escribe: El empleo de la imaginación en la oración, puede ayudamos a "creer que ya lo logramos".

En el New York Times (agosto, 1973), se cita al Doctor Walter Chase, Director del Departamento de Investigación y Jefe del Departamento de Ciencias Básicas Visuales de la Escuela de Optometría del Southern California College en Fullerton. "Lo que se ve con la mente es tan real, en un sentido, como lo que se ve por una ventana. No hay mucha diferencia fisiológica entre las señales que trasmite la mente y la que transmite el ojo".

Por lo tanto, la imaginación no sólo es un componente básico de nuestro ser, sino que puede convertirse en un elemento activísimo de nuestra oración.

c. Diálogo

La oración se desarrolla con *un diálogo a solas* entre dos personas: el Señor Jesús y tú. Nadie más debe venir a la escena. Los dos solos.

Es un diálogo amoroso con el Señor. El ejemplo mejor para el diálogo que se debe sostener con el Señor durante el baño de luz es el que encontramos narrado en Jn 4,1-26 cuando Jesús habla con la samaritana y mientras habla con ella la va sanando del odio racial. El baño de luz es poner en práctica la verdad de que Cristo está en nosotros y Él es la esperanza de la gloria que tendremos.

d. Silencio

Hacer *silencio*. Para escuchar las respuestas del Señor, es necesario guardar silencio, Muchas veces no escuchamos a Dios porque no le damos tiempo a que nos responda. Siempre estamos hablando y volvemos la oración un monologo y no un diálogo.

E. ESCRIBIR EN VEZ DE HABLAR

Hay personas a las que no les es fácil hablar con el Señor, pero sí pueden expresarse más fácilmente por escrito. Para esto, es buena cosa escribir una carta al Señor comentándole el problema y pidiéndole respuestas a las preguntas. Mientras el Señor responde, se debe permanecer en oración y silencio, y una vez que comience a responder se debe escribir. Presentamos tres cartas de éstas.

En un retiro en Uruguay una mamá le escribía al Señor: "Señor Jesús, yo tengo un serio problema con mi hija. Ella no tiene amor por ti como yo deseo, ¿Qué puedo hacer? Yo, Señor, con cariño espero tu respuesta porque mi hija tampoco me entiende. Confió en que tú me vas a ayudar, Petrona". A los pocos minutos ella misma consignó la respuesta del Señor: "Petrona, ten paciencia, confía, síguele hablando de mí; ¿Cómo quieres que ella crea en mí si tú antes no le habías hablado?. Jesús".

En un retiro en Argentina un joven le escribe al Señor: "Señor Jesús: Yo te pido que me des paciencia para que no sea impetuoso y conteste con groserías, como lo hice hoy. ¿Por qué hablé tan fuerte si no era eso lo que quería hacer? Señor, contéstame. Ayúdame". Oscar.

Jesucristo le contestó: "Tú tienes que cambiar. Te dejas llevar por tus impulsos como fuiste siempre. Aprende a consultarme: Aprende a oírme más no sólo en los apuros sino también en todos los momentos de tu vida, de cada día. Ofréceme todo. Ama más. Usa más palabras de amor como las que usas con Virginia. Saca todo eso que tienes dentro que es lindo y me gusta. Jesús".

En un retiro en Ciudad Obregón, México, una señora escribió: "Señor Jesús, dime qué debo hacer en mi problema con mi esposo. Yo te platico a ti, Jesús amado. Hoy te pregunto: ¿Qué hago? Porque a ti no puedo engañarte y tú lo sabes que tengo siete años con este problema sin ver la solución. Siempre he estado esperando en ti y no he sentido tu respuesta. Sólo tu

silencio. Siento la soledad. Siento que me has abando-
nado en todos mis sufrimientos. He sentido todas las
acusaciones sobre mí; se han hecho juicios muy seve-
ros y yo, Cristo Jesús, me siento inocente de lo que se
me acusa y también arrepentida de mi pecado. ¿Qué
hago? Hoy no me salgo de tu presencia hasta que me
digas qué debo hacer y llevar tu respuesta. No quiero
verte ensangrentado y crucificado por los pecados de
mi compañero. Hoy quiero la solución y sé que me la
darás. Margarita".

El Señor le contestó: "Hija mía: Ven a mí. Hoy en este
momento y día te doy la solución a tu problema.

Únicamente tienes que hacer esto: declarar a tu esposo
inocente delante de Dios. Estas dos personas que tanto
daño te han hecho ponlas todos los días en la presencia
de mi Padre que está en el cielo y decláralos inocentes y
verás realizada la obra y planes de Dios que tiene sobre
esta familia que Él está purificando. Jesús".

F. CUANTAS VECES SE HACE

Tantas veces cuantas sean necesarias hasta recibir una respuesta del Señor a la necesidad pedida,
hasta que Él ilumine la causa del mal. Se puede hacer en cada área de la vida que se necesite, para una
circunstancia concreta o para sanar las heridas de ese
día. No existe tiempo preciso en cuanto a la dura-
ción. Varía mucho, de acuerdo a las circunstancias.

G. RESULTADO

Al descubrir la causa de nuestros males, el resultado lógico ha de ser que, si ponemos en práctica lo

que el Señor nos dice, va a realizarse en nosotros una transformación notoria. Si seriamente queremos saber la causa de nuestros males, Dios la revelará, y entonces:

- Seremos como un espejo que refleja la gloria del Señor, y así nosotros mismos llegaremos a ser más y más como Cristo porque cada vez tendremos más y más de su gloria (2Co 3,18). Y la gloria que reflejaremos será la gloria del rostro de Cristo que es la misma gloria de Dios, el Padre.

- Brillaremos con la luz de estrellas en medio de este mundo oscuro (Flp 2,15) porque somos luz del mundo (Mt 5,14).

- Irradiaremos paz, tanto para nosotros como para los demás.

Terminamos con la siguiente carta que nos llego del Caribe:

"14/1/85.

Estimados hermanos Blanca y Darío:

Me dirijo a ustedes para que sean portadores de la maravilla que el Señor ha hecho en mí en el retiro llevado a cabo este fin de semana.

Soy médico y tengo 20 años de matrimonio, durante los cuales fui muy infeliz e hice infeliz a mi esposo a causa de una frigidez sexual, que estaba arruinando nuestro matrimonio. Pero el Señor, ha tenido misericordia de nosotros después de tantos años de sufrimiento.

Comienzo diciéndoles que si no hubiese sido médico, la fortuna que hubiese gastado en honorarios no la hubiera tenido, pues visité ginecólogos y endocrinólogos, los cuales me refirieron al psiquiatra, psicólogo, psicometrista, y éstos últimos me refirieron al sexólogo, pues todos los test que se me hacían indicaba que tenía un trauma sexual, el cual, el único que podría resolverme el problema era el sexólogo. Después de hacerme todas las pruebas aquí en el país, me las hicieron en los Estados Unidos, pero todas resultaban infructuosas al igual que los tratamientos indicados, pues yo seguía con el mismo problema de frigidez.

Al conocer al Señor (hace 10 años) puse mi enfermedad en sus manos. En varias ocasiones me mostró esta escena que vi a la edad de 5 años (ahora tengo 45 años).

Una señora tenía dos hijas, y se dedicaba a comercializar con ellas. Estaba yo en mi casa y vi cuando una de ellas salía corriendo, y detrás un hombre. La madre había hecho trato con el hombre, pero la joven no quería y salió huyendo. Esto dio lugar a que él la tomara e hiciera el acto en pleno patio en la presencia de varias personas que en ese momento pasaban por el lugar. Esta escena se me presentaba en varias ocasiones.

Cuando Blanca Ruiz nos puso a hacer el baño de luz, yo dije: Le voy a preguntar al Señor por qué la frigidez está acabando con mi matrimonio. Cuando ya iba a hacer mi pregunta, de improviso, se me presentó la escena anteriormente citada. Entonces le dije:

-   Señor, ¿por qué veo esto si no es eso lo que quiero saber?

Él me contestó:

- Porque esa es la causa de la frigidez que tú tenías.

Yo me sorprendí al oír "que tú tenías", y me sorprendí doblemente cuando verdaderamente me di cuenta que ya no había tal frigidez.

El sábado en la noche, al regresar del retiro, mi esposo y yo nos unimos en el acto conyugal y esta vez todo fue distinto a lo ocurrido en ocasiones anteriores. Estamos viviendo una verdadera luna de miel, pero una luna de miel distinta a la común pues nuestros queridos hijos están saboreando también de ella, porque ya no ven los padres de caras amargadas, sino sonrientes y una madre que se ve y se siente libre, y no aquella madre de cara dura que ya no podía esconder lo que me pasaba.

Se me olvidaba contar que en la escena vi cuando el Señor cogía de la mano a la madre, a la joven y a mi mamá, y le pregunté:

- Señor, ¿a dónde las llevas?

Él me contesto:

- A perdonarlas y a llenarlas de amor; ya le pregunté de nuevo:

- ¿Y por qué mi madre, Señor?

Porque en tu interior, el rechazo que tenías a tu madre era debido a que tú la culpabas por no atenderte debidamente en ese tiempo.

Mi madre estaba atendiendo en ese momento una tienda con la cual ayudaba a mi padre para nuestro sustento (5 hijos en esa ocasión).

Luego pregunté:

-   ¿Y el hombre que sedujo a esa joven?

Él me dijo:

-   Lo tengo entre mis brazos.

Vi la imagen de Jesús como si tuviera un niño en los brazos meciéndolo. Escribo este testimonio que no podía darlo ante el público. La gloria y alabanza para el Señor que libera a los oprimidos y a los hogares, y para ustedes bendiciones del Señor para que los siga utilizando en su viña.

Una liberada por el Señor."

VI

LA ORACIÓN GENEROSA

He encontrado durante mi ministerio de sanación que por la manera como hacemos la oración a Dios, se bloquea el proceso de sanación. Muchas veces, aún poniendo toda la buena intención para una buena oración, la dañamos.

Por el contrario, he encontrado que se realizan más curaciones cuando hacemos una oración generosa que con cualquier otro tipo de oración. A muchas personas se les oye decir: "Si Dios me concede tal o cual cosa, voy a dejar de fumar, voy a hacer esto o aquello". Este es un clásico ejemplo de una oración egoísta, que de generosa no tiene absolutamente nada y que por lo tanto no es adecuada para conseguir lo que se quiere.

La sanación no se compra. No podemos comercializarla a trueque de propósitos o de actos buenos. Es fruto del amor misericordioso de Dios, y por eso, nuestra principal actitud debe ser la del agradecimiento y la generosidad.

A. QUÉ ES

Es aquella en la que le pedimos a Dios que haga lo que a Él le parezca más oportuno para su gloria. No se le pide algo en concreto, sino "lo que Él quiera". Querer su querer.

En esta oración no pedimos algo para nosotros, sino que Él haga lo que crea debe hacer para su gloria. Pedimos que Él sea más conocido, bendecido y alabado.

En esta oración, yo no pido por el bien que me da el que Él haga esto o aquello. Me abro incluso a la posibilidad de la misma muerte, si Él ha decidido que de ese y por ese acontecimiento Él va a ser más glorificado. Le pedimos vida y salud en cuanto redunda para su gloria. Es querer su querer.

a. Oración en el accidente de Panamá

En el mencionado accidente de Panamá, quizá hice una auténtica oración generosa, pues recuerdo muy bien que le dije al Señor:

Hace mucho tiempo que te entregué a mis padres y nunca te he reclamado el por qué te los llevaste. Ahora te pido, por el poder de tus Santas Llagas y de tu Preciosa Sangre, que liberes a mi hermana de la muerte; no por el beneficio que me da tenerla, sino por la gloria que te dará el sanarla y salvarla.

Muestra que eres un Dios vivo y que existes. Que cuando la vean después no puedan menos que decir: ¡Qué grande ha estado Dios con ellos! ¡Qué grande es nuestro Dios!

Si en tu providencia ya has decidido llevártela contigo, está bien, llévatela, pero utiliza otro motivo más tarde, que no tenga nada que ver con este accidente, ni siquiera como consecuencia de él, y llévatela. Muestra Señor, que eres un Dios poderoso, magnífico y grande.

b. Oración del Padre Carlos De Foucauld

Creo que una de las más bellas oraciones es la oración del "abandono" del Padre Carlos de Foucauld y que considero una auténtica oración generosa:

Padre, me pongo en tus manos.
Haz de mí lo que quieras.
Por todo lo que hagas de mí, te doy gracias.

Estoy dispuesto a todo, acepto todo,
con tal de que tu voluntad se haga en mí
y en todas tus criaturas.

No deseo nada más, Dios mío.
Pongo mi alma entre tus manos,
te la doy, Dios mío,
con todo el ardor de mi corazón porque te amo,
y para mí es una necesidad de amor el darme,
el entregarme entre tus manos sin medida,
con infinita confianza,porque tú eres mi Padre.
Amén.

c. Oración de mi padre

Siendo yo muy niño, oía a mi padre rezar una oración que siempre me llamó la atención y que ahora reconozco es una autentica oración generosa.

*Jesús mío: estoy convencido de que velas sobre
todos los que esperan en ti, y que nada puede
faltar a los que de ti aguardan todas las cosas,
que he resuelto, en adelante, vivir sin cuidado
alguno, descargando sobre ti todas mis inquietudes. Despójenme los hombres de los bienes y de la
fama. Prívenme las enfermedades de las fuerzas
y medios de servirte, pierda yo por mí mismo la
gracia pecando, que no por eso perderé la confianza, antes bien, la conservaré hasta el último
momento de mi vida, porque jamás será demasiado lo que espere de ti, que nunca obtendré menos
de lo que hubiere esperado. Jesús mío: Haz de mí
lo que quieras, porque sé que me amas.*

d. Otra oración generosa

Fue la que hice el día siguiente que me despe-
dí de los hispanos en New York, para dedicarme de
tiempo completo a la Renovación Carismática:

Oh Jesús, manso y humilde corazón, escúchame:

*Líbrame del deseo de ser estimado,
del deseo de ser amado,
del deseo de ser exaltado,
del deseo de ser honrado,
del deseo de ser alabado,
del deseo de ser consultado,
del deseo de ser aprobado,
del deseo de ser preferido.*

*Líbrame del miedo de ser humillado,
del miedo de ser despreciado,
del miedo de ser rechazado,
del miedo de ser calumniado,
del miedo de ser olvidado,*

del miedo de ser ridiculizado,
del miedo de ser censurado,
del miedo de que sospechen y desconfíen de mí.

Jesús, concédeme la gracia de:
que otros sean más queridos que yo,
que otros sean más estimados que yo,
que otros sean escogidos y yo ignorado,
que otros sean alabados y yo desconocido,
que otros sean preferidos en todo,
que en la opinión del mundo otros suban
y yo baje.

Que otros lleguen a ser más santos que yo
con tal que yo llegue a ser tan santo
como debo ser.

e. Oración de Santa Teresa

Santa Teresa expresa bellamente en una de sus poesías la hermosura de ofrendarse generosamente en las manos de su Señor:

Dadme muerte, dadme vida,
dad salud o enfermedad.
Honra o deshonra me dad.

Dadme guerra o paz crecida.
Flaqueza o fuerza cumplida,
que a todo digo que sí.

Vuestra soy y para vos nací
¿Qué mandáis hacer de mí?

B. FUNDAMENTOS BÍBLICOS

En la Palabra de Dios encontramos enseñanzas y modelos maravillosos de esta oración de abandono total:

Jesús nos dijo que oráramos diciendo: "*Hágase tu voluntad en la tierra como en el cielo*" (Mt 6,10). Él mismo oró así en el Huerto de los Olivos: "*No se haga mi voluntad, sino la tuya*" (Lc 22,42b), y culminó entregándose sin condiciones a su Padre en la cruz cuando le dijo: "*Padre, en tus manos encomiendo mi espíritu*" (Lc 23,46).

San Pablo nos invita a tener esta confianza ya que "*todo concurre para bien de los que aman a Dios*" (Rom 8,28.)

Santiago por su parte, es muy claro cuando nos descubre el por qué no alcanzamos lo que pedimos:

No tienen porque no piden.
Piden y no reciben porque piden mal,
con la intención de malgastarlo en sus pasiones:
St 4,2-3.

En esto está la confianza que tenemos en él: en que si le pedimos algo según su voluntad, nos escucha (Cf. 1Jn 5,14).

No podemos pedir nada mejor que el cumplimiento de la voluntad de Dios en nosotros y por medio de nosotros. Jesús nos enseñó a hacerlo en el "Padre Nuestro" porque la voluntad de Dios es sólo amor. Quiere para todos para cada uno de nosotros el mayor bien, incomparablemente mejor de cuanto podríamos desear nosotros mismos. De aquí que su amor le impida acceder cuando le pedimos lo que no nos conviene.

El Salmo 37,4 expresa el concepto de plena seguridad delante de Dios cuando dice: "*Cifra tus delicias en el Señor, y te dará cuanto desea tu corazón*".

Santo Tomás de Aquino nos explica por qué a veces no recibimos lo que pedimos:

"Dios oye nuestras oraciones en cuanto que deseamos el bien. Pero a veces ocurre que lo que pedimos no es un bien verdadero sino aparente o hasta un verdadero mal. Por eso esta oración no puede ser respondida por Dios".

C. TESTIMONIOS

En la Biblia encontramos ejemplos de oraciones generosas que han encontrado una maravillosa respuesta de parte de Dios.

a. Uno de los mejores ejemplos de oración generosa fue la hecha por Salomón pidiendo sabiduría para conducir a su pueblo. Como no había pedido nada para él sino para otros, Dios le concedió lo que deseaba y además le dio riqueza y gloria (Cf. 1Re 3,5-15).

b. La oración de intercesión tan generosa que Esteban hizo por su perseguidores, entre los que se encontraba el "joven Saulo" (Hech 7,58-59). San Agustín afirma: *"Si Esteban no hubiera orado, la Iglesia no hubiera tenido un San Pablo".* Recordemos lo que fue después Pablo, y admiremos la obra de Dios que tan milagrosamente lo transformó. Ello nos enseña a no desesperar nunca de un alma porque no podemos juzgar los designios que Dios tiene sobre ella. Quizá Él espera a perdonarle más para que ame más.

c. Dios perdonó a los malos amigos de Job por la oración de éste: *"Así que tomen siete novillos y siete carneros, vayan donde mi siervo Job, y ofrezcan por ustedes un holocausto. Mi siervo Job intercederá por ustedes y, en atención a él, no los castigaré por no haber hablado con verdad de mí, como mi siervo Job"*: Jb 42,8.

En este pasaje se ve la inmensidad del mar del amor de Dios. Este es uno de los grandes documentos para descubrir cómo es el corazón del Padre cuya amorosa misericordia nos propone Jesús como ejemplo de toda perfección: *"Sed perfectos como mi Padre celestial es perfecto"*, que significa: *"Sean misericordiosos como mi Padre celestial es misericordioso"*: Mt 5,48; Lc 6,3.

d. Hay otro caso que narra la historia de oraciones generosas contestadas: la conversión de San Agustín que Dios hizo debido a la oración de su madre Santa Mónica.

e. A continuación transcribo una carta recibida de Santiago de Chile, en donde se ve claramente el resultado de una oración generosa:

"Santiago, 18 de octubre de 1971

Rvdo. Padre Darío Betancourt:

No quiero pasar más tiempo sin informarle acerca de mi hijita Laura Inés por quien usted y el Padre Diego Jaramillo nos hicieron la gracia de orar por ella en el Hospital Barros Luco.

Después de lo que ustedes hicieron y dijeron en aquella oportunidad demoré varios días meditando antes de incorporar en mi corazón la idea de rogar a Dios por la sanación que Él ya estaba operando. No fue fácil para mí porque, salvo en mis años de colegial, nunca había rezado y no había amado más al Señor a pesar de creer en Él, por confiar sólo en mí mismo. ¡Insensato!

Desde muy hondo me traicionaba mi amor de padre, sin poder esquivar el deseo -que se imponía sobre mi ruego y lo malograba- para que Él hiciera la sanación que yo anhelaba. No sé cuántas otras conversaciones y señales que Dios puso ante mí necesité para ver con claridad que mi ruego no era oración. Yo estaba pidiendo, ni más ni menos, que el Señor fuera instrumento de mi voluntad, seguía fiando en mí, sin confiar ni depender de Él. Cuando comprendí esto me arrepentí sinceramente y por fin pude rezar: "que se haga tu voluntad", Laura Inés es tu instrumento; toda la humanidad es tu instrumento; yo soy tu instrumento". Pude ver que a mi alrededor, en mi familia y fuera de ella, el Señor estaba haciendo abundantes sanaciones de almas. La enfermedad de Laura Inés le rendía muchos frutos y la trabajaba a fondo. ¡Y por añadidura, empezó a mostrar en Laura Inés la sanación de su cuerpo que yo quería!

El día viernes 29 de septiembre, tras un examen médico que incluyó los estímulos al oído interno sin reacción alguna, se confirmaron los diagnósticos anteriores que no daban esperanza. Según las palabras del médico "entró en un coma profundo y definitivo". El lunes siguiente fuimos informados que había leves signos positivos. El Jueves 5 de octubre entré a su pieza –la misma donde ustedes entraron y oraron- ella dio vuelta su cara hacia mí y me dijo: "papá" y sus ojitos cobraron vida y su carita sonrió llena de bondad y felicidad.

Desde ese momento está progresando para asombro y alegría de los médicos. Por nuevos exámenes ya saben que no hay secuelas. Debo agregar que durante una convulsión, Laura Inés cortó con sus dientes la cánula que la protegía de posible ahogo con su propia lengua. Sus dientes se soltaron y sus dos incisivos superiores quedaron levantados hacia afuera de la boca. El jueves que me reconoció yo no presté atención a su boca, pero sé que ese mismo día comió una barra de chocolate con almendras, lo que naturalmente requiere una fuerte dentadura. Al día siguiente pudimos verificar que sus dientes estaban en perfecta posición.

¡Bendito el Padre, bendito el Hijo, bendito el Espíritu Santo!

Por último, Padre, quiero informarle que ella, a su propia iniciativa, ha tenido visita de sacerdotes y "está rezando mucho" según sus propias palabras.

No lo hacía desde hace tres años. Dios también ha sanado su alma.

En todo este tiempo ha habido muchas personas conocidas y desconocidas que han rezado por mi hija. A todas se los agradezco infinitamente, especialmente se lo agradezco al Padre Diego y a usted, pero muy especialmente, mi agradecimiento eterno a Dios.

Que la paz del Señor esté con usted.

Mario Alviña W."

El testimonio anterior es un hermosísimo ejemplo de derroche del amor de Dios como respuesta a una oración hecha sin condiciones, una oración generosa.

VII
TRATAMIENTO
DE ORACIÓN

Por experiencia propia todos sabemos la pena, dolor y angustia que se siente cuando recurrimos a todos los medios a nuestro alcance para recobrar la salud y no lo logramos. De una manera especial sufrimos cuando el enfermo es un hijo pequeño.

Y si nosotros estamos enfermos, visitamos al médico y él nos hace el diagnóstico, nos da las primeras medicinas y nos ordena seguir un tratamiento por un tiempo determinado, a fin del cual hemos de volver a verle, con el fin de evaluar si el tratamiento está dando resultados. A esto lo llamamos "tratamiento médico". Algo similar ocurre en la oración por los enfermos. Una persona viene en busca de oración por su salud y el proceso es igual al que se realiza con el médico en busca de salud.

Tratamiento médico

- Se dicen los síntomas, su origen (cuando se conoce).
- El médico diagnostica.
- El médico da las primeras indicaciones.
- El médico ordena un tratamiento que el enfermo debe seguir durante un tiempo determinado.

Tratamiento de oración

- Cuenta desde cuándo está mal, cómo se siente, etc.
- Se detecta la raíz del problema y la clase de oración que hay que hacer: oración de sanación interior, de liberación, de sanación física, por las diferentes áreas de la vida o por diferentes problemas.
- Se hace la primero oración con la persona que busca la salud.
- La persona que hace la oración le pide al enfermo continuar el tratamiento de oración haciendo tal o cual oración, perdonar, reconciliarse con Dios, etc. La persona debe continuar por sí misma.

A. LA CAPACIDAD DE ESCUCHAR

Un elemento muy importante en el tratamiento de oración es saber escuchar. Francis McNutt, famoso predicador del ministerio de sanación, dice que prefiere emplear más tiempo oyendo a la persona que orando por ella, porque el escuchar le da la capacidad de hacer una oración más apropiada para cada caso. La atención personal ya es parte de la terapia porque se le está tratando con la medicina del amor. Por algo el Señor Jesús dijo:

> *Si dos de ustedes se ponen de acuerdo en la tierra para pedir algo, sea lo que fuere, lo conseguirán de mi Padre que está en los cielos: Mt 18,19.*

Bárbara Shlemon, en su libro "La Oración que Sana" dice: *"Para que nuestra oración sea más efectiva es necesario pasar algún tiempo escuchando las orientaciones del Espíritu Santo. Empecemos preguntando: ¿Señor, qué quieres hacer tú en este caso? Después oremos de la manera que Él nos inspire. Se necesita práctica para desarrollar "la capacidad de escuchar", pero cuanto más pongamos a prueba estas voces interiores y comprobemos su exactitud, tanto más podremos confiar en ellas. Deberíamos pedir el "don de oídos así como pedimos el don de lenguas".*

El Dr. Morton Kelsey del Departamento de Estudios Graduados de la Universidad de Notre Dame y autor del libro "Healing and Christianity", declara: *"El 50% de todo psiquiatra es la capacidad de escuchar con amor y sin juzgar".*

Bárbara Shlemon añade: *"El mejor regalo que le podemos hacer a otros es nuestra completa atención y amoroso interés en lo que está diciendo. El escuchar también nos permite desarrollar vivos sentimientos de compasión y comprensión. La palabra compasión significa "sufrir con otro" y requiere compenetrarnos con el dolor de la otra persona. Solamente cuando nos ponemos en el lugar de otra persona comenzamos a caer en la cuenta de lo que está sufriendo. Sólo entonces, como San Pablo, podemos "alegrarnos con los que se alegran y llorar con los que lloran" (Cf. Rom 12,15).*

Para escuchar sin juzgar interiormente al otro necesitamos algún entrenamiento ya que tenemos la tendencia de sospechar de otro cuyos puntos de vista sean diferentes de los nuestros. Es realmente una señal de madurez poder aceptar a la gente como es, comprendiendo la sabiduría de San Pablo:

Ustedes son el cuerpo de Cristo,
y sus miembros cada uno por su parte:
1Cor 12,27.

B. JESÚS

Jesús acostumbraba este tratamiento:

a. Lo vemos claramente con el ciego de Jericó, a quien le pregunta algo que parecía sobrar: *"¿Qué quieres que te haga?"* (Cf. Mc 10,51). La respuesta era lógica, pero Jesús quería que el ciego lo dijera.

b. Con el ciego de Betsaida es todavía más claro:

- Lo toma aparte.
- Lo lleva de la mano.
- Le impone las manos.
- Le pregunta y el enfermo responde.
- Le impone las manos sobre los ojos.
- Le envía a su casa (Cf. Mc 8,22-26).

c. En el caso de la samaritana Jesús usó un tratamiento que incluyó un largo diálogo de varias horas, con Nicodemo pasaba la noche hablando y con los samaritanos pasó varios días para curarlos de su odio racial (Cf. Jn 4,40). Como se ve, el Señor Jesús tiene que orar y actuar más de una vez, con lo que nos enseña que si Él trabajó así, a nosotros nos exige continuar la obra permanentemente.

d. En casos de liberación, Jesús también ofrece un testamento personal mediante un diálogo con preguntas y órdenes (Cf. Mc 1,23-26; 5,1-20; 9,14-29).

C. TESTIMONIOS

a. *En un pequeño poblado de Colombia, ocurrió un caso muy especial de curación. La pierna de una niña tenía osteomielitis y después de orar por ella varias veces por varias horas cada vez, la pierna se enderezó, se alargó y la niña pudo caminar. Durante la oración ella lloraba. Al preguntarle por qué lo hacía, contó que había hecho una promesa a Dios de quedarse enferma por la conversión de su hermano y le parecía que estaba quebrantando un voto al ver la curación. Hubo necesidad de hacer una oración de sanación interior. El Señor la sanó completamente.*

b. *En la ciudad de Matagalpa, Nicaragua, ocurrió otro caso parecido. Una niña tenía las piernas deformadas. Oramos por ella muchas veces hasta que pudo ponerse de pie sin la ayuda de las muletas. También a cierto momento lloró mucho. Al preguntarle por qué lloraba contó que odiaba mucho a su padre porque era un borracho y los hacía sufrir mucho. Entonces oramos ayudándole a perdonar y a amar a su padre, dándole gracias por el regalo de la vida. Luego volvimos a orar por curación física y ésta continuó realizándose.*

Hay que notar, que en ambos casos la curación física que se estaba efectuando se estacionó y solamente después de cambiar de tratamiento de oración llegó a culminar.

c. *Mi hermana sufrió un terrible daño en el ojo derecho durante el accidente de Panamá. Ya habían dicho los médicos que no volvería a ver. Un día al quitarse las vendas del ojo comenzó a llorar porque veía doble. Comenzamos a orar para que Dios completara su obra. Mientras más orábamos, las imágenes se iban juntando. Después de seis horas de oración, la visión doble desapareció quedando la vista normal.*

CONCLUSIÓN

Lo que queremos decir con "tratamiento de oración" es que ordinariamente Dios no cura instantáneamente sino a través de un procedimiento mas largo. La razón es porque lo que más necesitan muchos enfermos es sentirse tomados en cuenta, que son amados, que sus enfermedades interesan a otros. Cuando ellos lo reciben a través de este tratamiento de oración que es un tratamiento de amor, se están curando de muchas heridas, y muy posiblemente de la raíz de su enfermedad.

Quien no disponga de "todo su tiempo" para orar por los enfermos, no verá muchos resultados en su oración. Por esta razón el apóstol Pablo nos recomienda *"Orar sin cesar"* (1Tes 5,17).

*En un vuelo internacional se sentó junto a mí un jo-
ven, llamado Octavio que comenzó a hablarme de todas sus inquietudes. Antes de que yo me identificara
como sacerdote me contó su vida desenfrenada. En el
momento oportuno comencé a evangelizarlo y a decirle
que solamente en Jesucristo encontraría lo que busca-
ba. A 31,000 pies de altura, Octavio aceptó con lágrimas a Jesús como su Salvador y Señor.*

La azafata sorprendida, preguntó qué pasaba:

- *Estamos orando" -le contesté- "¿Quiere participar
usted también?".*

*Como dijo que sí me puse de pie, la senté en mi lugar
y Octavio y yo comenzamos la oración en voz alta, sin
avergonzamos de nuestra fe. Llegó entonces el jefe de
tripulación para averiguar lo que pasaba y nos dijo:*

- *En los aviones no se reza.*

- *Claro que sí -le dije- y vamos a orar por usted también.*

*Como no se quiso sentar, la azafata, Octavio y yo ora-
mos a la vista de todos que nos miraban sorprendidos.*

*Al despedimos, le di mi tarjeta a Octavio. Él la leyó en
voz alta: "Rev. Darío Betancourt" y me dijo:*

- *¡Ah! Con razón usted ora tan bonito... usted es un
ministro protestante.*

- *No, -le contesté inmediatamente-. Para orar bonito
no se necesita ser ministro protestante sino estar
enamorado de Jesucristo. Soy sacerdote católico.*

*Él no me creyó hasta que le mostré mi identificación
sacerdotal. Meses después recibí la siguiente carta
donde Octavio me mostraba su proceso de sanación,
dándole a Jesús el lugar principal en su vida.*

"Buenos Aires, 6 de diciembre de 1980.

Querido Darío:

Ayer recibí tu lindísima carta. Muchas gracias. Te aseguro que me siento muy honrado, pues es más difícil recibir carta tuya que del mismo presidente. Me contaron lo ocupado que estás y por eso me imagino lo difícil que te resulta contestar todas las cartas. De nuevo... gracias.

Ayer me reía como loco cuando veía la televisión, pues todos los programas americanos doblados al español tienen las mismas voces. Resulta que hay una voz idéntica a la tuya que aparece en todos los programas: Así, los lunes eres un magnífico policía motorizado, pero el martes te persiguen por todo Texas por robar ganado. Los miércoles eres un audaz detective calvo, pero el jueves un simple médico que cuando se enoja se convierte en un gigante verde. Creo que en eso somos un poco parecidos. Algunas veces yo soy el "chico bueno" que tiende la mano para salvar al desconocido del arroyo, pero el día siguiente soy el asesino que se burla de todo.

También tengo ese monstruo verde que se apodera de mí cuando las cosas no son como yo quiero y destroza todo y a todos hasta lograr lo que quiere. ¡Cuántos personajes para una sola persona!... y pensar que todavía hay gente que estudia teatro para comediar.

¿Para qué, si dentro de mí ya están, desde siempre esperando tras un telón, para salir en cualquier momento, una multitud impresionante de Octavios artistas. Octavios buenos, Octavios falsos, amables, sinceros y mentirosos. ¿Cual es el que se parece más mí o a cuál

me parezco? O, ¿acaso son todos parte de mí? ¿Puedo vivir si se muere alguno o puedo vivir sin alguno?

También en la banca, esperando su turno, hay otro artista sin el cual no puedo vivir pues se metió hace tiempo en mi pequeño teatro y dice que no se va a retirar hasta que le entregue el papel principal. No lo puedo echar pues le tomé cariño, es el mejor de todos el más paciente. Cuando el yo colérico sale a escena y vuelve a descansar después de su aparición en público, éste que te digo, intenta pararse para ir al escenario, pero los otros "yo" lo toman fuertemente del brazo y le dicen: Mira, Jesús, ¿cuándo vas a terminar con esto? Somos muchos contra ti y no puedes acaparar sólo toda la obra, así que resígnate a compartir con nosotros el lugar que tenemos. Confórmate con los días domingos de 7 a 8 y basta. Nosotros somos muchos y debemos realizarnos como artistas. No nos molestes más. Tus representaciones de amor, paz y todas esas cosas no son taquilleras.

Así, este Jesús vuelve a su banca esperando con paciencia infinita... Me encanta ese tipo. Varias veces intenté darle el papel principal y permanente de la obra... pero tengo miedo, mucho miedo, pues los demás actores se pondrían furiosos. El lujurioso golpearía las puertas de mi cuarto todas las noches con insistencia morbosa; el egoísta le acompañaría, luego vendría el mentiroso, el envidioso, el perezoso con sus amigos y mi camerino se llenaría de tanta gente quejosa que no tendría paz. Además, está el público: La gente que me ve de un día para el otro, dirán: ¿Cómo es eso? ¡Tiene un sólo artista esta obra? No me gusta lo que dice. Representa cosas sin gusto, me voy. Realmente yo no sirvo para ver esa clase de teatro,

La gente elegiría y yo me podría quedar sin público. Si ese Jesús se hubiese ido antes, los problemas no existirían. Pero no lo puedo echar fuera ahora. Primero porque ni quiero y porque tampoco se iría, Tiene realmente vocación para aguantar lo que aguanta.

Cada vez que abro el telón de mi vida se le iluminan los ojos porque piensa que lo voy a llamar a Él. Pero, son muchos, no puedo concederle todas las obras. Yo hago lo que puedo, a pesar de que todos los otros me ruegan y hasta me exigen que le eche fuera para siempre.

Mira, Darío, este Jesús pide mucho, no sólo quiere que le regale mi teatro entero, que es lo único que tengo; además, exige que le deje actuar a su modo y encima, quiere ser el director de todas las interpretaciones...

Si sigue así un día me va a pedir la cama y que yo duerma en el suelo. ¿Quieres que te diga la verdad? Ya lo hubiese corrido definitivamente hace mucho tiempo a no ser por una niñita, toda ternura, que viene todos los días a mi teatro para preguntar cuando trabaja Jesús de Nazaret. Es tan dulce y linda. Debe tener tres o cuatro años y esa carita de ojos enormes me enternece hasta el alma. Mira, querida, le digo, no sé si Jesús va a actuar hoy pero el domingo de 7 a 8 seguro.

No Importa, yo espero, me dice, mientras se acurruca como un pinochito blanco contra las butacas. Es la niñita mas linda que he visto, parece un copo de nieve... y esa sonrisa tan dulce... parece miel. Ella mira todas las funciones con ansia. Acto tras acto espera con los ojos abiertos que el animador anuncie por los parlantes: ¡Y ahora con ustedes, Jesús de Nazaret!

Pero, nada... pasan las horas y no viene su número esperado. Sigue mirando el telón caído, tratando de adivinar la cara de Jesús detrás de las cortinas, pero sus ojos enormes nada descubren. Termina entonces diciendo: "bueno... a lo mejor mañana"... y se aleja con la cabeza gacha y una lágrima gigante. Antes de irse me pregunta siempre: ¿Mañana a lo mejor? - Este... no te puedo decir querida sí, mañana, a lo mejor mañana.

Me da un beso húmedo y se aleja, diciéndome: "Por favor, Octavio, si ves a Jesús dile que estuvo Macuca" (la madre de Jesús).

Con esta pequeña fantasía te doy una idea de lo que está pasando en mi vida. Querido Darío, un gran abrazo y espero que pases unas fiestas maravillosas. Sigo orando diariamente para que el Señor continúe sanando todas mis enfermedades espirituales.

Tu amigo, Octavio."

Como vemos, el tratamiento de oración se aplica de una manera especial en el caso de nuestra transformación en Cristo: *"Nos vamos transformando en esa misma imagen cada vez más gloriosos: así es como actúa el Señor, que es Espíritu"* (2Cor 3,18).

VIII

LA PALABRA DE CONOCIMIENTO

Cada vez se oye hablar más sobre "la palabra de conocimiento" en los grupos de oración, congresos, etc. Pero sobre todo es muy común constatarlo en vivo al orar por los enfermos. Muchas veces se escuchan frases como ésta: *"El Señor Jesús está sanando a una persona que está sintiendo un calor en determinada parte del cuerpo. Eso es el poder sanador de Dios que es vida y le está sanado"*.

Algunos se sorprenden, otros se preguntan qué pasa, por qué se habla de esta manera y no faltan los escépticos.

Vamos a tratar de explicar, en cuanto es posible, este don que cuando es bien usado, como en algunos casos de la Biblia, sirve para edificar la fe de la comunidad.

A. QUÉ ES

Es un conocimiento sobrenatural que se recibe debido la gracia, por medio del cual, la inteligencia del hombre se ilumina con la acción del Espíritu Santo para conocer y ver la raíz de un problema, o lo que Dios está haciendo o va hacer entre sus criaturas con un fin sobrenatural.

- Conocimiento sobrenatural por la gracia

Se trata de un conocimiento sobrenatural no percibido por raciocinio o deducción sino por una luz especial del Espíritu Santo que se va transmitiendo en la medida que va llegando. La certeza no se origina por una ciencia humana ni por un raciocinio sino que es una gracia especial de Dios.

- Por medio del cual la inteligencia
  del hombre se ilumina

La palabra de conocimiento llega a la inteligencia del hombre, que previamente ha sido informada por la fe para recibir este conocimiento sobrenatural. Es Como un don auxiliar del don de la fe para ayudarla a crecer y a fortalecer.

- Con la acción del Espíritu Santo

El Espíritu Santo es la causa agente que pone en movimiento la palabra de conocimiento. La luz del Espíritu Santo es la que hace conocer y ver. No es un raciocinio de la mente. Es un impulso superior que hace actuar.

- Para conocer y ver

Por la palabra de conocimiento podemos conocer lo que Dios ha hecho, está haciendo o va a hacer entre sus criaturas. Muchas veces coincide el anuncio de la palabra de conocimiento con el actuar de Dios.

Otras ocasiones parece que la palabra de conocimiento, por ser camino del Espíritu, es palabra eficaz que realiza su contenido. Así como cuando Dios dijo "haya luz", ésta apareció, de manera análoga al anunciarse la curación, ésta se efectúa. La palabra es sanadora (Cf. Jn 15,3).

- Entre sus criaturas con un fin sobrenatural

La palabra de conocimiento se usa principalmente para manifestar las cosas divinas que se contemplan en las criaturas y que revelan la gloria de Dios.

Podríamos decir más sencillamente que es: "Una luz del Espíritu Santo por medio de la cual se conocen las cosas de Dios".

No es un "fenómeno psíquico", o una "percepción extrasensorial". No es "telepatía" o "clarividencia". No es "una transmisión de pensamiento" como cuando dos personas reciben al mismo tiempo la misma palabra.

Ejemplo: Imagínese que usted está en medio de una habitación totalmente oscura. De repente se enciende una luz y se ve que en un rincón hay un piano de color negro, cerrado, antiguo... de repente se apaga la luz y usted vuelve a quedarse en la oscuridad.

Mientras usted tuvo la luz, usted vio todo tan de repente que no tuvo tiempo para reflexionar sobre el sonido del piano, su calidad, si realmente es tan antiguo como para ser una joya, etc. Otra vez se enciende la luz y se ve que en otro lugar de la habitación hay una vitrina llena de libros de diferentes colores y tamaños, de diferentes temas y en diversas posiciones... de repente se apaga de nuevo la luz y vuelve la oscuridad sin dar tiempo a ninguna reflexión.

El Padre Emiliano Tardif en su libro "Jesús está Vivo" dice:

"Llega una idea clara a la mente. En la medida que la comunicamos van apareciendo los detalles adicionales. Compararía esta experiencia como leer un mensaje escrito en unas servilletas de una caja de kleenex; en la primera servilleta están unas palabras que debo leer; luego, retiro esa servilleta y leo lo que dice la segunda. No se puede leer ni entender lo escrito en la tercera si no se han leído y retirado las otras dos. De igual manera, se comienza a comunicar el primer mensaje e inmediatamente se va completando ésta en la medida en que lo vamos transmitiendo."

B. OTRO NOMBRE DE ESTE DON

A veces se le llama también "palabra de ciencia". Conocimiento, ciencia y entendimiento quieren decir lo mismo. Yo prefiero utilizar a palabra "conocimiento" porque esta palabra explica mejor lo que es este carisma; un don para conocer las cosas de Dios. Me gusta más la palabra "conocimiento" porque hay algunos teólogos que distinguen entre la palabra de conocimiento y la palabra de ciencia. Para ellos, la primera sería un simple conocer las cosas de Dios, sin explicar, sin reflexionar y sin discurrir. Sólo se conoce lo de Dios. La segunda sería un reflexionar, discurrir, profundizar y penetrar sobre Dios para después enseñarlo a otros.

Me parece, pues, que "palabra de conocimiento" es lo más adecuado. Otra haría más difícil explicar lo que es este carisma del Espíritu Santo.

C. CÓMO SE PERCIBE

De maneras muy variadas y diversas: Es una certeza interior, una seguridad de que lo que ha venido a la mente es de Dios y no se tranquiliza el espíritu hasta decirlo.

Es como si una palabra apareciera en la pantalla de un televisor. Ejemplo: la palabra "corazón". Cuando se enuncia, aparecen los detalles, como sería; una persona enferma del corazón desde hace varios años, con tal o cual dificultad.

Puede ser también como la sensación de un pequeño dolor en alguna parte del cuerpo o también como si alguna persona estuviera tocando con la punta del dedo una parte del cuerpo. Al proclamar que Dios está sanando a esa persona, desaparece la sensación.

D. CUÁNDO USARLA

Debido a algunos abusos hay quienes tratan de negar este don. Personalmente creo que siendo un don auxiliar que ayuda a crecer y fortalecer la fe debe usarse, aunque para algunos se les haga muy raro e inclusive los ponga a criticar negativamente, los abusos no nos deben cerrar a su ejercicio, sino instruirnos en su recto uso. Con nada se ha cometido tantos abusos como con el Sacramento de la Reconciliación, sin embargo, no por eso la Iglesia lo va a suprimir. Algo parecido se podría decir de este don.

Algunos opinan que nunca se debería usar este don en público porque es principalmente para descubrir los secretos del corazón, algo así como lo que el Señor Jesús hizo con la Samaritana que le descubrió su vida y sus maridos. Creo que esto es una parte de este don, pero no es el único ni principal fin.

En la Renovación Carismática se usa mucho para anunciar las curaciones que Dios está haciendo entre su pueblo, causando gran alegría y gozo en el Señor con aumento de la fe. Por supuesto que cuando la palabra de conocimiento descubre elementos de pecado en una persona no debe usarse en público pues traería más desconcierto que bendiciones.

Por este motivo algunos obispos y sacerdotes no quieren que se use este don aunque creen en él. Quizás un criterio para su uso en cada lugar es preguntar qué opina el obispo sobre este don, y si no ha dicho nada puede usarse tranquilamente.

Para evitar malos entendidos, una buena catequesis o enseñanza sobre este don quita toda dificultad. Muchos malos entendidos resultan de la ignorancia. Cuando cosas se explican, se aclaran y se aceptan.

E. CÓMO RECONOCER LA AUTENTICIDAD

El Evangelio da un criterio para discernir sobre la autenticidad de este don: *"Por los frutos los conocerán"* (Mt 7,16). Los frutos, los efectos, son la única manera de saber si este don es verdadero o no. Por esta razón son muy importantes los testimonios. De lo contrario, parecería como si se manipulara o jugara con la psicología de la comunidad. Los testimonios tienen como fin principal la gloria de Dios, pero también la edificación de la comunidad. Por este motivo, cuando se da este don debe haber testimonios que lo confirmen.

Es muy significativo que Jesucristo al contestar a los enviados de Juan el Bautista si él era el Mesías o había que esperar a otro, se puso a curar enfermos, sanar mancos, a dar vista a los ciegos, a levantar cojos, a limpiar leprosos, a resucitar muertos, a evangelizar a los pobres, y al terminar dijo:

*Vayan y díganle a Juan lo que ustedes
han visto y oído:
Mt 11,4.*

Esta respuesta de Jesús es un fuerte argumento para probar el valor y el poder de los testimonios como signos de que Jesús es el Mesías que hace maravillas.

De la misma manera, los testimonios son muy importantes para probar la autenticidad de la "palabra de Conocimiento".

F. FUNDAMENTO BÍBLICO

Jesús usaba a menudo este don: sabía lo que pensaban los escribas (Cf. Lc 5,22), la gente (Cf. Lc 11,17), los Maestros de la ley (Cf. Mt 9,4). A Natanael revela secretos (Cf. Jn 1,47-48) y a la samaritana su pasado (Cf. Jn 4,16-18).

San Pablo se refiere directamente a este don en 1Cor 12,8: *"A uno se le da por el Espíritu palabra de sabiduría, a otro palabra de conocimiento."*

En el Antiguo Testamento también encontramos ejemplos: Daniel descubre la mentira de la acusación hecha a Susana (Cf. Dan 13) y José tenía sueños que revelan la realidad (Cf. Gen 37;40-41).

G. DON DE LA SABIDURÍA

La palabra de conocimiento y el don de sabiduría son dos carismas distintos, aunque muy parecidos.

El don de sabiduría no es más que poner en práctica la palabra de conocimiento. Algo así como un relojero cuando pone en práctica sus conocimientos profesionales llega a tener sabiduría en lo referente a la relojería. Personas hábiles en su oficio, se dice que son sabias en su profesión ya que conocen mucho de ella. Esto sería sabiduría humana, puesto que se trata de cosas humanas. Cuando se trata de Dios es sabiduría divina.

La sabiduría consiste en saber qué hacer con la información recibida con la palabra de conocimiento. Así pues, por medio de la palabra de sabiduría

José se convirtió en el primer Ministro del Faraón (Cf. Gen 41,37-57), Daniel desenmascaró a los verdaderos culpables y éstos fueron muertos (Cf. Dan 13,50-60).

Otros teólogos definen este carisma como un hábito sobrenatural por el cual juzgamos de Dios y de las cosas divinas bajo la acción del Espíritu Santo.

H. TESTIMONIOS

Yo creo que lo que mejor explica y convence sobre este don son los testimonios:

a. *Como consecuencia del accidente de Panamá, la segunda y tercera vértebras lumbares de mi espalda quedaron aplastadas, motivo por el cual tenía muchos dolores y problemas, hasta el punto de haber tenido que regresar al hospital.*

En noviembre de 1983, se efectuó en Santo Domingo, República Dominicana, el congreso Latinoamericano de la Renovación Carismática. Por esos días estaba muy mal con el dolor en la columna, sin embargo, decidí asistir. Durante el encuentro, el Padre Emiliano Tardif hizo una oración de sanación por todos los Delegados. Cuando comenzó la oración, yo empecé a sentir una sensación de calor en la espalda, de la cintura hacia abajo. Por dentro me decía: "El Señor me está sanando porque siento el calor".

Sin embargo, continuaba sintiendo el dolor. Al terminar la oración, el Padre Tardif dijo: "Entre los Delegados, hay varios hermanos que tienen la palabra de conocimiento úsenla para la gloria de Dios y bien de

*los hermanos". En cierto momento uno de los Delega-
dos dijo: "Aquí hay un hombre que, por un accidente
que tuvo, sufre problemas con la espalda en la parte
inferior. En este momento siente mucho calor y el Señor le está sanando".*

*En ese mismo instante, más rápido que el efecto de una
inyección de morfina o de cualquier otra medicina, el
dolor desapareció. Le doy muchas gracias al Señor
por bendecirme con este alivio y por confirmarme la
realidad de la palabra de conocimiento, siendo yo el
beneficiado, pues siempre me había tocado sólo ser el
instrumento de ella.*

b. *En la ciudad de Monterrey, México, Gerardo Gon-
zález y Paty Olais no podían tener hijos después de
varios años de casados. Los médicos ya no daban esperanza. En diciembre de 1982 el Señor dijo en una oración de curación: "Aquí hay un matrimonio a quien el
Señor le va a conceder un hijo. La esposa va a quedar
encinta dentro de cinco meses". En otra palabra de conocimiento ya les había dicho que se los concedería en
1984.*

*A finales del mes de abril Paty comenzó a comprar las
cosas necesarias para el embarazo y nacimiento de su
hijo. Las personas que sabían del anuncio del Señor y
la veían actuando así, sentían mucha duda en su corazón. El primero de mayo, fiesta del trabajo, ella dijo a
su esposo: "Como hoy está todo cerrado y no hay labo-
ratorios para hacer exámenes, mañana, dos de mayo,
vamos al médico para confirmar mi embarazo".*

*Al día siguiente, por medio de los análisis se comprobó
que realmente tenía un mes de embarazo. Exactamente*

se cumplió lo que Dios había dicho: "Dentro de cinco meses quedará encinta".

Como Dios actúa con lógica y les había dicho que les daría un hijo en 1984, el niño tan deseado, esperado y anunciado, nació el primero de enero de 1984, nueve meses exactos.

Pocos días más tarde me tocó el privilegio de bautizar este niño en la Parroquia de Nuestra Señora de Fátima de la ciudad de Monterrey, México, en medio de la alegría y el agradecimiento a Dios que de una manera especial lo había anunciado.

c. *En la ciudad de Pompano Beach, Florida, Estados Unidos, había un joven que dudaba seguir estudiando en la universidad o ir al seminario para abrazar el sacerdocio al que se sentía muy atraído.*

Durante una Eucaristía de clausura de un Congreso que se realizó en esa ciudad, el joven le dijo al Señor: "Si tú me quieres sacerdote, haz que por medio de este don, estos hermanos digan algo de un joven que tiene dudas de su llamado al sacerdocio".

En el instante en que terminó su oración, cuenta él mismo, escuchó las siguientes palabras de conocimiento: Aquí hay un joven que siente dudas de su llamado al sacerdocio. No tenga miedo. Ánimo. Dios le envía estas palabras: "Yo estoy contigo y te quiero ayudándome y alabándome en mis altares".

Este joven cuenta que no sabe expresar lo que sintió de emoción: el corazón le palpitaba, las manos se le enfriaron y un sudor con calor le llenaba su cuerpo. Tomó su decisión y se encuentra en el seminario.

d. *En Buenos Aires, Argentina, por la palabra de conocimiento un matrimonio recibió el anuncio del nacimiento de su hijo y que lo veríamos todos dentro de diez meses. A continuación transcribo el testimonio escrito por ellos mismos.*

"Verdaderamente es un don de Dios, nuestro Señor y Salvador. Obedeciendo el mandato de Dios que dice: "Bendigan a Dios y proclamen ante todos los vivientes los bienes que les he concedido, para bendecir y cantar su Nombre. Manifiesten a todos los hombres las acciones de Dios, dignas de honra, y no sean remisos en confesarle. Practiquen el bien y no tropezarán con el mal" (Tob 12,6-7).

Queremos hacer pública acción de gracias a Dios y contarles brevemente lo que ha hecho el Señor con nosotros.

En los primeros cuatro años de casados no pudimos tener hijos pese a quererlo y a realizar tratamientos médicos. Además de ir a los médicos, nunca dejamos de rezar a Dios pidiendo el don de ser padres. Muchos rezaron por nosotros en misas, rosarios, novenas, en Argentina y en el extranjero también.

El primer domingo de septiembre de 1978, se realizó, como es costumbre en la Parroquia de la Santísima Trinidad la Misa mensual de la Renovación Carismática. Luego de la comunión en que recibimos el Pan de Vida, alimento poderoso de salvación y gracia de Dios, el verdadero cuerpo y la verdadera sangre de Jesús resucitado, el Padre que presidía la celebración hizo una oración por los enfermos. En esa oración el sacerdote expresó que él sentía en su corazón que Dios iba a con-

ceder un hijo a un matrimonio que desde hacía mucho tiempo lo estaba pidiendo y que dentro de diez meses lo traerían para que todos lo vieran.

Al terminar la misa muchísima gente nos vino a felicitar, pero ¿seríamos nosotros? Algo nos decía que sí. Otros, nos miraban extrañados y se sonreían diciendo: "Ya se verá".

A los pocos días después de la Misa le hicieron a mi esposa un raspaje, seguido con un tratamiento por esterilidad que veníamos efectuando. Luego de llevar los resultados al médico, éste se lamentó que se hubiese hecho parcial. Al instante que le mostramos las curvas de temperatura y le referimos el estado de mi esposa, dijo: "Su esposa está embarazada. Todavía hay que hacer análisis para confirmarlo, pero en mis 20 años de médico es el segundo caso que veo como éste".

Efectivamente, el niño fue concebido luego de cuatro largos años de espera en la fe. El niño no fue perdido pese al raspaje.

Nació con un parto totalmente normal el domingo 27 de mayo, día de la ascensión de Nuestro Señor Jesucristo a los cielos. Pesó tres kilos. Altura: cincuenta centímetros.

Debemos dar gracia a Dios por las muchas maravillas que ha obrado en nuestras vidas, de las cuales ésta es simplemente una y no la más importante. O dicho de otro modo, hubo otros dones que hicieron esto posible.

Dios ha salvado nuestra vida de temores, angustias, frustraciones, aislamiento, falta de diálogo en el matri-

monio, malas relaciones con nuestros padres, falta de
aceptación de nosotros mismos, falta de interés por el
prójimo. No que ya hemos llegado a la meta sino que
nos esforzamos más que nunca por no perder el premio, no sea que habiendo ayudado a otros resultemos
reprobados nosotros.

Los caminos del Señor no son como los nuestros. Él
tiene un plan para cada uno de nosotros, no nos lo
impone, nos invita a adherirnos a Él, la respuesta es
nuestra.

En el mundo nuestra propia naturaleza humana se resiste al plan de Dios si no cuenta con el auxilio de la
gracia.

Sólo Cristo enseña al hombre cómo ser hombre, cómo
vivir, cuál es el sentido último de todas las cosas. Feliz
el hombre que vive en Cristo.

Jorge Hernán y Kako Meroño."

El primer domingo del mes de julio de 1979, durante
la eucaristía mensual de la Renovación Carismática en
la Parroquia de la Santísima Trinidad de la ciudad de
Buenos Aires, Argentina, se efectuó el bautismo del
niño de la Familia Meroño a los diez meses exactos de
haber dicho Dios que lo traerían para verlo.

e. En una Iglesia en Argentina, durante la oración de
sanación, el Señor dijo:

"Hacia el lado izquierdo de la iglesia y junto a la primera columna hay un médico que no es argentino y
está aquí con todos sus hijos asistiendo con un espí-

ritu crítico, burlón y despreciativo. El Señor quiere que esta misma noche se arrepienta de sus pecados y haga una profesión de fe en Jesucristo como Señor de su vida y de su familia. El Señor quiere salvarlo, y a través de usted, salvar a su esposa e hijos".

Terminada la Eucaristía se acercó y se identificó diciendo: "Soy médico colombiano, del que usted hablaba con tantos detalles. Todo esto casi no puedo creerlo. Estoy emocionadísimo. Hoy mismo voy a hacer lo que ha dicho el Señor".

Algunos días más tarde recibí una carta que decía:

"San Bernardo 12/XII/81.

Estimado Padre Darío:

Yo soy el médico colombiano que tímida, descreída y médicamente, fui a escucharlo y pensaba mil cosas acerca del milagro, la curación y Dios. Me decía: es parapsicología, terapia de grupo, sugestión, o ¿realmente cosas sobrenaturales, propias del Padre Celestial? Tener fe es como tocar el cielo con las manos y a tanta distancia ver cosas maravillosas del Creador.

No quería escribirle hasta no arreglar en forma Positiva después de muchísimos años, mis cuentas con el Señor pues he comulgado el 8 de diciembre, luego de una madura y concienzuda reflexión, repetí en igual fecha de mi primera comunión hecha en Colombia en 1936.

Y como se acercan las fiestas navideñas del Señor Jesús, me uno a mi esposa médico y a mis hijos de los cuales tres de ellos son médicos, dos se comenzaron a preparar para hacer su primera comunión en Semana Santa, la cuarta hija que es ingeniera, ya la hizo.

Toda la familia Salazar ruega a Dios para que los frutos del Padre Darío sean cada vez más abundantes.

Cariñosamente, con un fuerte abrazo de Navidad.

J.D.S.C."

IX

CÓMO SANA DIOS

Una pregunta muy natural que surge de lo profundo de cada persona cuando es testigo de las maravillas de Dios: *"¿Como ha sucedido eso?"; "¿Cómo ha hecho Dios?".*

Cuando se puede dar alguna explicación a las cosas de Dios es más fácil que la gente crea en Él. Con gran sabiduría San Pedro dice:

*Estén siempre dispuestos a dar respuesta
a todo el que les pida razón de su esperanza,
pero háganlo con dulzura y respeto: 1Pe 3,15-16.*

Hay muchas cosas que son misterios y su explicación sobrepasa nuestro entendimiento. En esas cosas sólo hay que aceptar. Pero existen otras situaciones a las que se les puede encontrar algunas explicaciones y ayudan a creer. Con el ciego de Siloé encontramos un caso en que se busca "cómo sucedió el milagro" y las sencillas respuestas del hombre sanado explican el hecho con toda claridad (Cf.Jn 9).

Las cosas de Dios, aunque nos parezcan difíciles y misteriosas, a veces pueden expresarse de una manera tan sencilla que muchos pueden negarse a creer y a aceptar, como los fariseos que interrogaban al ciego.

En una reunión con unos médicos en la ciudad de Santiago del Estero en Argentina, después de haber sido testigos de las maravillas de Dios durante una oración por curación, preguntaban muy admirados cómo Dios hacía esas cosas, las respuestas apropiadas no sólo los satisfacían, sino que algunos de ellos hasta respaldaron con su ciencia médica tanto los argumentos como los hechos.

Ahora vamos a analizar las tres formas como Dios nos sana.

A. USA LOS MEDIOS QUE HAY DENTRO DE NOSOTROS

Un elemento que Dios usa a veces para nuestra curación es la autosugestión.

Un principio de filosofía afirma: *"Dios no multiplica los seres sin necesidad"*, lo que equivale a decir que no actúa directamente si lo puede hacer mediante lo que ya existe en nosotros. En un ambiente de fe y oración Dios puede hacer crecer y aumentar nuestra "sugestión" hasta el nivel de curarnos, ya sea por la palabra ungida del predicador, un testimonio, el ambiente de fe, la música, etc. En muchas oraciones de sanación hay gente que se cura por este medio.

Aclaremos muy bien que no es la sugestión la que cura. El Señor nos cura, usando como medio la sugestión. Tampoco debemos confundir la fe con la sugestión; son dos cosas diferentes.

Si mucha gente se enferma por autosugestión, ¿Por qué Dios no puede usarla para sanarnos? Sin embargo, debemos decir que así como la sugestión no interviene en todas las enfermedades, tampoco actúa en todas las sanaciones. Aunque sea por sugestión, Dios no pierde su crédito; no se echa a perder la curación. ¿Qué importan los medios usados por Dios si el enfermo recuperó su salud?

Cada vez más la ciencia va descubriendo las capacidades y energías que Dios puso en nuestro cuerpo cuando nos creó. La parapsicología trata de dar una explicación científica a estos fenómenos. En algunos casos de curación la parapsicología puede ofrecer algunas explicaciones, pero para el hombre de fe, esto es lo menos importante.

Por otro lado no es posible dar una explicación parapsicológica a todas las cosas, menos a las de Dios. Debemos usar el don de la fe que no va en contra de la razón pero sí la supera.

En la Parroquia de María Auxiliadora de la ciudad de Cuenca, Ecuador, ocurrió el siguiente caso:

Una indígena que se encontraba en su casa localizada en las montañas lejos de la ciudad oyó por radio que se estaba llevando a cabo una misión en la Iglesia de María Auxiliadora. Ella hacía mucho tiempo que estaba completamente paralizada y no podía caminar. Pidió el favor de que la trajeran en camilla para asistir personalmente a la misión.

Al entrar al Templo y al ver la multitud que alababa al Señor, cantaba con emoción y el fervor de todas las personas en los rostros, sintió una gran emoción e inmediatamente empezó a sentir que un calor le invadía todo su cuerpo.

Al mismo tiempo su cuerpo empezó a experimentar movimientos en todos sus miembros, mientras el dolor iba desapareciendo paulatinamente. Para las horas de la tarde después de hecha la confesión sacramental y la recepción de la Unción de los Enfermos, se sanó completamente.

B. USA LOS MEDIOS QUE HAY FUERA DE NOSOTROS

Dios utiliza lo que hay, fuera de nosotros: médico y medicinas. Todos hemos sido sanados gracias a ello. La Sagrada Escritura tiene varios pasajes en donde Dios sana por medio de estos instrumentos.

a. Por los médicos

Da al médico, por sus servicios, los honores que merece, que también a él le creo el Señor: Eclo 38,1.

Dios ordena visitar, honrar y tratar al médico. La razón es "porque lo necesitas"; como diciendo: "*Yo sano por medio de ellos*".

Pues del Altísimo viene la curación,
Como una dádiva que del rey se recibe:
Eclo 38,2.

Dios ha concedido al médico el don de curar como le ha dado a las autoridades civiles el don de gobernar.

Pues ellos también al Señor suplicarán
que les ponga en buen camino hacia el alivio
y hacia la curación para salvar tu vida:
Eclo 38,14.

Este es el texto más claro en donde Dios concede la salud por medio de los médicos.

En una reunión con médicos que se efectuó en la ciudad de Santiago del Estero, Argentina, se hizo una oración por la salud de la Dra. Ana Solórzano, recibiendo una curación muy especial que dio a conocer posteriormente con el siguiente escrito:

"Tengo 40 años. Soy médica. Desde el mes de octubre de 1978 comenzó mi enfermedad con una lumbociática bilateral. Ya en ese mes de noviembre comenzó la polialtralgia leve. Desde el mes de enero de 1979 hasta junio de ese mismo año la enfermedad se generalizó hasta tomar prácticamente todas las articulaciones siendo más evidente en manos, rodillas y pies, con intensos dolores hasta musculares que se hicieron invalidantes. Consulté con especialistas tanto en la provincia como

*fuera de ella sin ningún resultado positivo. Los trata-
mientos fueron desde aspirinas hasta reacción alérgica
a la misma por la frecuencia de las tomas, pasando por
todos los tratamientos antiinflamatorios y analgésicos
conocidos sin ningún resultado positivo; lo único que
disminuyeron en algo fueron los dolores, que eran con-
tinuos. La betametosona me produjo un cushing iatro-
génico, que, por supuesto agravó el proceso articular
por sobrepeso.*

*La enfermedad diagnosticada como "artritis reuma-
toidea" es progresiva, deformante y, sobre todo, inva-
lidante por dolor, por la deformidad y por la atrofia
muscular que la falta de movimiento provoca. Desde
el punto de vista psíquico, el dolor y la invalidez que
toman a un ser humano en la plenitud de su vida y
actividad física traen aparejados cuadros depresivos y,
cuando el dolor no cede a los calmantes más potentes,
lleva a las tendencias suicidas para tratar de paliar el
dolor.*

*Soy cristiana y católica, a pesar de mis intensos sufri-
mientos no he renegado de mi fe y creo que debe ser lo
que me ha mantenido durante todo este tiempo. Fui a
la reunión de "Seminario" de la Renovación Carismática, tan vez buscando un consuelo más de tipo psíquico que físico, una ayuda espiritual que era lo que más
necesitaba.*

*El día sábado 7 de mayo concurrí a la reunión que
hubo con los profesionales médicos. En esa ocasión se
realizó una oración por mi sanación.*

*Desde ese momento han cesado mis dolores, tengo ma-
yor movilidad en brazos y manos, han disminuido en*

forma notable mis edemas y la contractura articular propia de la enfermedad. En este momento tomo esporádicamente algún analgésico y estoy estirando los corticoides. Duermo bien, sin dolor, como no lo hacía desde hace casi cinco años. En este momento lo que no se ha vencido, si bien ha mejorado, es el dolor al caminar (que no existe en reposo) de ambas rodillas, sobre todo la izquierda.

Como médica que soy, lo que me ha pasado no tiene ninguna explicación científica, pero no me queda duda de que la oración hecha por mí, ha alcanzado la bendición de mi salud que había buscado desde hace varios años sin ningún resultado.

Fdo. Ana Solórzano."

b. Por las medicinas

El Señor puso en la tierra medicinas,
el varón prudente no las desdeña:
Eclo 38,4.

Las cosas creadas, como las medicinas, plantas, etc., están dotadas de virtudes medicinales que han recibido de Dios. Los grandes efectos producidos por cosas muy humildes y pequeñas que se usan en la medicina natural están muy conformes con la enseñanza bíblica.

Él mismo dio a los hombres la ciencia
para que se gloriaran en sus maravillas.
Con ellas cura Él y quita el sufrimiento,
con ellas el farmacéutico hace mixturas.
Así nunca se acaban sus obras: Eclo 38,6-8a.

Gracias a esas medicinas volverá la salud. Este es el texto más claro en donde Dios sana por medio de las medicinas.

Sus frutos servirán de alimento,
y sus hojas de medicina: Ez 47,12.

El profeta se refiere a una visión, pero expresada con elementos de la vida diaria, como es la curación con plantas del lugar y de la época.

c. Bálsamo

¿No hay bálsamo en Galaad?,
¿no quedan médicos allí?
pues ¿cómo es que no llega el remedio
para la hija de mi pueblo?: Jer 8,22.

Toma bálsamo para su sufrimiento,
a ver si sana: Jer 51,8.

d. Aceite

Acercándose, vendó sus heridas,
echando en ellas aceite y vino: Lc 10,34.

Ungían con aceite a muchos enfermos
y los curaban: Mc 6,13.

¿Está enfermo alguno entre ustedes?
Llame a los presbíteros de la Iglesia,
que oren sobre él y le unjan con óleo
en el nombre del Señor: St 5,14.

Tradicionalmente el aceite sirve para calentar y fortalecer músculos.

e. Vino

Toma un poco de vino a causa de tu estómago
y de tus frecuentes indisposiciones:
1Tim 5,23.

Acercándose, vendó sus heridas,
echando en ellas aceite y vino:
Lc 10,34.

En los tiempos bíblicos se usaba mucho el vino como desinfectante, muy posiblemente debido a la cantidad de alcohol que contenía.

- Bendición de las medicinas

El Ritual Romano tiene una hermosa oración para pedir la bendición de Dios sobre las medicinas. Muchos médicos dan testimonio de que al orar sobre ellas, han desaparecido los efectos colaterales y el efecto terapéutico es más eficaz. He aquí esta bendición:

- *Nuestro auxilio es el nombre del Señor.*
- *Que hizo el cielo y la tierra.*
- *El Señor esté con ustedes.*
- *Y con tu espíritu.*

Oremos:

Oh Dios nuestro, que maravillosamente has creado al hombre y más maravillosamente lo redimiste, dígnate socorrer con tus múltiples auxilios la condición humana y terrenal de tus hijos sujetos siempre a diversas enfermedades. Atiende a nuestros ruegos y bendice (estas medicinas) (y estos instrumentos médicos) para que todo aquel que (los tome y esté bajo su acción) conozca en su cuerpo y en su alma la realidad de tu providencia.

Tú que por medio de tu Hijo Jesucristo curaste tantas enfermedades y que reinas con Él y con el Espíritu Santo por los siglos de los siglos. Amen. (Se asperja con agua bendita).

En Tijuana, México, Carmelita de Valero tenía que tomar una medicina que le causaba somnolencia permanente y le impedía cumplir sus deberes de esposa y madre. Su esposo, médico, José Valero, ella y yo oramos por las medicinas. Al día siguiente ella no tenía sueño y estaba feliz, atendiéndonos a todos con mucho amor y solicitud.

-    La asociación de terapeutas cristianos

Los médicos cristianos de los Estados Unidos están descubriendo el poder de la oración en el campo de la medicina y se comprometen a la integración de la oración de sanación carismática con lo mejor de la ayuda profesional para conseguir la sanación física, mental y espiritual.

Esta Asociación está tratando de llegar a los profesionales en el campo de la medicina.

Con gran satisfacción, actualmente, en varios países del mundo se encuentran profesionales reuniéndose para pedir la luz de Dios en el campo de la medicina.

C. NOS SANA DIRECTAMENTE

Dios también nos sana directamente, sin medios de ninguna clase. Esta tercera manera es más directa, menos común, pero Dios también la usa. Creo que en esta tercera manera es en donde se podría colocar el milagro estrictamente hablando y que tiene carácter de signo que edifica la fe de las personas.

Conocí en Roma a una religiosa de la Compañía de María que había sido sanada milagrosamente de un cáncer externo en la cabeza por la intercesión de la fundadora de la Orden. Cuenta la hermana que vio venir sobre las nubes del cielo a la entonces Beata Juana De Lestonnac y tocándole la cabeza le dijo: *"Hija, Dios te ha sanado"*.

Al despertarse se dio cuenta que estaba perfectamente sanada y hasta cicatrizadas instantáneamente las heridas.

Este milagro fue aprobado por la Congregación para la Causa de los Santos y el Papa Pío XII canonizó a Santa Juana De Lestonnac en mayo de 1950.

X

¿PUEDE SANAR SATANÁS?

No quiero en este capítulo hacer un estudio teológico sobre este *"ser vivo, espiritual, pervertido y pervertidor. Terrible realidad misteriosa y pavorosa"*, como lo llamó Pablo VI en su catequesis del 15 de noviembre de 1972. O como lo describió el Señor Jesús:

> *Este era homicida desde el principio,*
> *y no se mantuvo en la verdad,*
> *porque no hay verdad en él;*
> *cuando dice la mentira,*
> *dice lo que le sale de dentro, porque es mentiroso*
> *y padre de la mentira: Jn 8,44.*

Sólo quiero exponer unas reflexiones sacadas de mi experiencia pastoral. La parte teológica la dejo a los teólogos.

Ocho días antes de nuestro accidente de Panamá, estaba predicando en una parroquia de la Ciudad de Nueva York sobre el engaño del demonio que son los horóscopos, signos zodiacales, amuletos, azabaches, talismanes, objetos para la buena suerte, agüero, el yoga, la adivinación, la hechicería, etc. en general, sobre los obstáculos para experimentar el amor de Dios.

Les decía como el Malo busca imitar el poder redentor y salvador que tiene Jesucristo y lo pone en cosas y criaturas. Así nos engaña, principalmente a quienes no son de Dios ni le conocen.

Por la tarde de ese día del retiro, apareció junto a la mesa donde yo estaba predicando un hermoso regalo muy bien envuelto y con una tarjeta muy bonita. Abrí el regalo con mucho cuidado y encontré una imagen de San Lázaro, con las manos, los pies y la cabeza quebrados y una nota que decía: *"Que Babalú te castigue por todo lo que has dicho contra él"*. (Así llaman los curanderos a San Lázaro).

Entre los presentes se encontraba un fervoroso creyente en los engaños del diablo y quería sacarme de la tierra de los vivientes para que no continuara hablando de este tema. Ocho días más tarde ocurrió el accidente en el cual quedamos los cuatro pasajeros con muchísimas fracturas.

He hablado con varias personas al respecto y todos me han dado diferentes opiniones. El lector diga lo que quiera. A mí no me queda duda de que Dios permitió el accidente entre muchas cosas, para mostrar su gran poder, porque si el demonio tiene poderes, los de Dios son mayores.

Ustedes, hijos míos, son de Dios y han vencido.
Pues el que está en ustedes es más
que el que está en el mundo: 1Jn 4,4.

A. EXISTENCIA Y PODER DEL DEMONIO

Una vez fui llamado a una casa en la ciudad de Nueva York para que hiciera una oración, pues decían que oían cosas muy raras. Estando en la sala de esa casa y mientras orábamos, oíamos que en la cocina caían los platos al suelo, la licuadora funcionaba a toda velocidad y por entre las paredes caían piedras. (La mayoría de las casas en los Estados Unidos son de madera y las paredes son huecas, vacías). Después de hecha una oración, no volvió a escucharse nada.

Para darnos cuenta de los poderes tan grandes que Satanás tiene, bastaría con mirar las famosas plagas de Egipto en donde los encantadores y hechiceros del Faraón hicieron algo parecido a lo de Moisés.

Algunos textos bíblicos donde se perciben los grandes poderes del demonio a través de sus cómplices:

También Faraón llamó a los sabios
y a los hechiceros, y también ellos,
los sabios egipcios, hicieron con sus
encantamientoslas mismas cosas: Ex 7,11.

Porque surgirán falsos cristos y falsos profetas,
que harán grandes señales y prodigios,
capaces de engañar, si fuera posible,
a los mismos elegidos: Mt 24,24.

Al ir nosotros al lugar de oración,
nos vino al encuentro una muchacha esclava

poseída de un espíritu adivino,
que pronunciando oráculos producía
mucho dinero a sus amos: Hech 16,16.

La Bestia que vi se parecía a un leopardo,
con las patas como de oso, y las fauces
como fauces de león y el Dragón le dio su poder
y su trono y gran poderío,
y se postraron ante el Dragón, porque había dado
el poderío a la Bestia, y se postraron ante la Bestia
diciendo: "¿Quién como la Bestia?
¿Y quién puede luchar contra ella?".
Ejerce todo el poder de la primera Bestia
en servicio de ésta, haciendo que la tierra
y sus habitantes adoren a la primera Bestia,
cuya herida mortal había sido curada.
Realiza grandes señales, hasta hacer bajar ante la
gente fuego del cielo a la tierra: Ap 13,2.4.12-13.

Los poderes del diablo son enormes. No olvidemos que siendo un espíritu caído, conserva su naturaleza de ángel y por esta razón, está sobre nosotros pero por debajo de y sometido a Él como cualquiera otra criatura.

En una ciudad de Venezuela encontramos a una muchacha que sufría de mucha angustia y miedo, al preguntársele desde cuando estaba enferma, contó que tenía un pequeño tumor cerca del cuello y le dolía mucho y que había asistido a una sesión espiritista de curación que se efectuaba de noche al venir el siervo de Dios José Gregorio Hernández. El tumor desapareció en dicha sesión quedándole sólo una pequeña cicatriz, pero perdió al mismo tiempo la paz y la alegría. El demonio se había cobrado la curación.

José Gregorio Hernández fue un médico venezolano cuyo nombre es utilizado por los espiritistas para lograr curaciones.

¿Por qué debemos buscar entre los muertos lo que concierne a los vivos? ¿Por qué no buscar en Dios lo que necesitamos?. El demonio engaña a los hombres a través del espiritismo: buscar entre los muertos lo que concierne a los vivos y a Dios (Cf. Is 8,19).

B. MAGOS Y ADIVINOS NO DICEN LA VERDAD

Entonces di orden de traer a mi presencia
a todos los sabios de Babilonia para que me dieran
a conocer la interpretación del sueño.
Vinieron los magos, adivinos, caldeos
y astrólogos y, en su presencia, conté el sueño,
pero su interpretación no me la dieron:
Dan 4,3-4.

Ustedes son de su padre el diablo y quieren cumplir los deseos de su padre.
Este era homicida desde el principio,
y no se mantuvo en la verdad, porque no hay
verdad en él, cuando dice la mentira,
dice lo que le sale de dentro, porque es mentiroso
y padre de la mentira: Jn 8,44.

Basta con mirar las mentiras que le dijo a Eva en el paraíso para reconocer el poder de convicción que tiene cuando miente.

No se fíen de cualquier espíritu,
sino examinen si los espíritus vienen de Dios,
pues muchos falsos profetas han salido al mundo:
1Jn 4,1.

Examínenlo todo y quédense con lo bueno:
1Tes 5,21.

C. DIOS NOS PREVIENE

Satanás comunica poderes sobrehumanos a sus seguidores, algo así como lo que el Espíritu Santo comunica a los creyentes. De aquí la importancia de estar atentos.

Y nada tiene de extraño: que el mismo Satanás se
disfraza de ángel de luz. Por lo tanto,
no es mucho que sus ministros se disfracen
también de ministros de justicia: 2Cor 11,14-15.

La venida del impío estará señalada por el influjo
de Satanás, con toda clase de milagros, señales,
prodigios engañosos: 2Tes 2,9.

El Espíritu dice claramente que en los últimos
tiempos algunos apostatarán de la fe
entregándose a espíritus engañadores
y a doctrinas diabólicas: 1Tim 4,1.

Pueden conocer en esto el Espíritu de Dios:
todo espíritu que confiesa a Jesucristo,
venido en carne, es de Dios; y todo espíritu
que no confiesa a Jesús no es de Dios;
ese es el del Anticristo. El cual han oído
que iba a venir; pues bien, ya está en el mundo:
1Jn 4,2-3.

Nótese que San Juan no dice: "si cree en Jesucristo venido en carne", sino "todo espíritu que confiesa a Jesucristo, venido en carne, es de Dios". No es lo mismo creer que reconocer, Mucha gente cree en Jesucristo, sin embargo, no lo reconoce como Señor y Salvador. La diferencia es tremenda.

En una sesión espiritista, el espíritu interrogado sobre si creía en Jesús respondió que sí y contó toda su vida, desde que nació hasta su muerte. Pero al hacerle la pregunta si reconocía a Jesús como hombre verdadero, se retiró muy disgustado sin responder nada.

Con razón San Pablo dice a los Tesalonicenses: *"Examínenlo todo y quédense con lo bueno"* *(1Tes 5,21).*

Dios nos instruye en cuanto a los muertos, encantamiento, adivinación, astrología, hechicería, etc.

No practiquen encantamientos ni astrología:
Lev 19,26.

No se dirijan a los nigromantes, ni consulten a
los adivinos haciéndose impuros por su causa.
Yo, YHWH su Dios: Lev 19,31.

Cuando hayas entrado en la tierra que YHWH
tu Dios te da... No ha de haber en ti nadie
que haga pasar a su hijo o a su hija por el fuego,
que practique adivinación, astrología,
hechicería o magia, ningún encantador
ni consultor de espectros o adivinos,
ni evocador de muertos.
Porque esas naciones que vas a desalojar
escuchan a astrólogos y adivinos,
pero a ti YHWH tu Dios
no te permite semejante cosa: Dt 18,9-14.

Yo me acercaré a ustedes para el juicio,
y seré un testigo eficaz contra los hechiceros y
contra los adúlteros: Mal 3,5.

Las relaciones con los espíritus implican mucho peligro, pues cuando los poderes ocultos se emplean con fines egoístas, se abre la posibilidad de que los espíritus malignos se apoderen de las personas, como le sucedió a la muchacha de Filipos. Quien quiera que consulte a los médiums o espíritus de los muertos desobedece los preceptos de Dios y se coloca en el terreno del enemigo. Desde que Satanás profirió la primera mentira en el Edén, al negar que sería la muerte la consecuencia del pecado, no ha cesado de valerse del temor que los hombres le tienen a la muerte, para inculcarles la creencia de que los muertos no están muertos y de que los hombres no mueren. La idolatría, el paganismo, el espiritismo, el ocultismo y todas las demás cosas parecidas se relacionan con la muerte.

Esto debe servir de advertencia para no tener nada que ver con estas cosas. Por halagüeñas que parezcan sus promesas y buenas sus enseñanzas, siempre resultan que son deprimentes y destructoras, al punto que nos alejan de Dios, nos sumen en la incredulidad y en el pecado. Prometen la vida, negando la muerte, y justifican en apariencia, la mentira que Satanás dijo en el paraíso: *"No moriréis"* (Gen 3,4).

El espiritismo alucina a los débiles en la fe y a los que no saben cómo solucionar sus problemas: Supongamos que perdemos a un ser querido. Nos parece que nuestra casa y el mundo entero están en tinieblas. El porvenir se nos presenta sombrío. Si pudiéramos reunir un ejército para que se nos devolviera al ser querido lo haríamos. El espiritismo llega en ese momento cuando estamos agotados de tanto llorar y por el insomnio, extenuados de cuerpo, mente y alma, ofreciendo una respuesta que a la postre resultará más perjudicial que benéfica.

D. CASTIGO A LOS CURANDEROS Y ESPIRITISTAS

Creo que el castigo mayor que Dios puede darle a una persona es abandonarla a que haga lo que no debe. *"Y como no tuvieron a bien guardar el verdadero conocimiento de Dios, los entregó Dios a su mente insensata, para que hicieran lo que no conviene"* (Rom 1,28). Como si Dios se cansara de dar amor y al no ser aceptado, retirara su oferta.

Si alguien consulta a los nigromantes,
y a los adivinos, prostituyéndose en pos de ellos,
yo volveré mi rostro contra él
y lo exterminaré de en medio de su pueblo:
Lev 20,6.

Idolatría, hechicería, odios, discordia, celos, iras,
rencillas, divisiones, disensiones, envidias, embriagueces, orgías y cosas semejantes,
sobre las cuales los prevengo,
como ya los previne,
que quienes hacen tales casas
no heredarán el Reino de Dios: Gal 5,20-21.

Pero los cobardes, los incrédulos, los abominables,
los asesinos, los impuros, los hechiceros,
los idólatras y todos los embusteros
tendrán su parte en el lago que arde con fuego
y azufre: que es la muerte segunda: Ap, 21,8.

E. ORACIÓN A LOS DIFUNTOS

¿Cuál es la diferencia de la devoción a los difuntos y las practicas espiritistas? Es total. Los espiritistas evocan al muerto y hasta reproducen ciertos detalles como su voz, letra o figura.

La devoción a los fieles difuntos en la Iglesia Católica no es un evocarlos, o sea llamarlos para que vengan, sino un invocarlos o recordarlos en nuestra oración. Esta doctrina de fe se basa en 2Mac 12,38-46 especialmente en el versículo 46 que dice: *"Es pues, un pensamiento noble y santo orar por los muertos para que sean liberados de sus pecados"*.

Este pasaje es una alusión velada de un purgatorio para los que mueren en gracia de Dios pero no tienen suficientemente pura el alma como para entrar en la gloria y les ayudamos por la eficacia de los sacrificios y de las oraciones ofrecidas por ellos. Creencia que también comparten con nosotros muchas tribus indígenas, religiones y razas de nuestros tiempos que no son cristianos y que sin embargo, honran y oran por sus muertos.

F. LIBERACIÓN Y SANACIÓN

No pretendo ahora dar una enseñanza sobre cómo hacer un exorcismo, quién debe hacerlo, a quién hacerlo. Sobre este tema ya hay muchos libros y orientaciones. Personalmente, sigo muy de cerca la opinión del Padre Ricardo McAlliar quien afirma que el Ministerio de la Liberación es parte del Ministerio de la Sanación Interior y que separarlos sería una monstruosidad.

En mi ministerio de orar por sanación interior he encontrado que, molestias que parecían ser de origen diabólico, han desaparecido; lo que confirma el cuidado y prudencia que hay que tener con las personas al ayudarlas en sus problemas, para no atribuir todo al Malo.

G. EL NOMBRE DE JESÚS

Para que al nombre de Jesús toda rodilla se doble
en los cielos, en la tierra y en los abismos:
Flp 2,10.

En mi nombre expulsarán demonios: Mc 16,17.

Otros textos muy valiosos acerca del poder del Santo Nombre de Dios que vale la pena consultar son: Gen 4,26; Ex 3,13-15; 20,7; Lv 24,10-16; Dt 6,13; 1Re 18,7-40 Ez 36,20-33; Dan 3,26; 3,43; 3,51-90; Jl 3,5; Mt 6,9; 7,21-23; 10,22; 12,21; 28,16-20; Mc 9,38-40; Lc 11,2; Hech 2,21; Rom 10,13; Col 3,16-17.

Durante los últimos años de mi ministerio me he dedicado a utilizar el poder que tiene el nombre de Jesús y puedo dar testimonio de la victoria tan eficaz y tan pronta que se obtiene. El demonio no resiste que se invoque este nombre Salvador, porque llamar el nombre es llamar a persona. Invito al lector a que desarrolle esta santa costumbre para que se vea liberado de las influencias diabólicas. Es conveniente, usando de la debida discreción y prudencia, pronunciar el nombre de Jesús en voz alta.

Una vez un joven que conoció al Señor personalmente y que dejó todo lo del mundo por Él, al cabo de un mes volvió a sentir deseos de la carne y los embates del demonio. No pudiendo resistir, resolvió ir a buscar a una prostituta. Por el camino, hizo la siguiente oración:

"Señor, tú sabes que yo lo he dejado todo por ti, pero no puedo resistir. Así que te pido que vayamos juntos a buscar a esta mujer. A lo mejor yendo contigo, ni pecado voy a cometer".

Mientras así conversaba con el Señor, oyó una voz de mujer que le decía: *"Invoca el nombre de mi Hijo"*, y el joven respondió: *"Pero si lo estoy llamando"*, insistió la voz: *"No, llama su nombre, el que me dio el ángel el día de la anunciación"*.

En este momento el joven se dio cuenta que él sólo decía "Señor", pero no mencionaba "Jesús". Entonces comenzó a decir: *"Jesús de Nazaret, hijo de la Virgen María, ayúdame"*. Varias veces oró así. Cuando llegó al lugar que deseaba, se encontró frente a su propia casa. Él mismo no se explica cómo había regresado a su hogar. Esa noche la pasó completamente en oración, alabando al Señor Jesús por la ayuda que le había dado.

H. SAGRADA CONGREGACIÓN PARA LA DOCTRINA DE LA FE

La Sagrada Congregación para la Doctrina de la Fe dio un documento con fecha 29 de septiembre de 1985, por medio del cual aclara la posición de los laicos cuando se trate de hacer oraciones de liberación de los espíritus malignos. Entre los puntos más importantes dice:

a. *El Canon 1172 del Código de Derecho Canónico declara que nadie puede legítimamente pronunciar exorcismos sobre los "posesos", sin licencia peculiar y expresa del ordinario (párrafo 1); y además determina que esta licencia solamente debe darse por el Ordinario del lugar a un Presbítero piadoso, docto, prudente y con integridad de vida (párrafo 2). En consecuencia, los Obispos son cordialmente invitados a urgir la obligación de estos preceptos.*

b. *De estas prescripciones resulta que tampoco es lícito para los fieles usar la fórmula del exorcismo contra Satanás y los ángeles caídos, extraída de aquella que fue publicada por orden del Sumo Pontífice León XII; y mucho menos utilizar el texto íntegro de este exorcismo. Los obispos tendrán el cuidado de amonestar a los fieles en esta materia, donde fuera menester.*

c. *Finalmente, por las mismas razones se ruega a los obispos, vigilar que aún en aquellos casos donde excluyendo verdadera posesión diabólica, pareciera sin embargo haber algún influjo diabólico, moderen sesiones de oración personas que carezcan de la debida facultad para hacerlo, cuando en estas sesiones se aplican súplicas para obtener la liberación durante las cuales los demonios son interpelados directamente y se trate de conocer la identidad de ellos.*

El enunciar estas normas, sin embargo, no debe hacer que los fieles se abstengan de rezar para que como Cristo nos enseñó, sean liberados del mal (Mt 6,13). Lo que es más, los Pastores pueden valerse de estas Oportunidades para recordar lo que la tradición de la Iglesia enseña sobre el papel que corresponde propiamente a los Sacramentos y a la intercesión de la Bienaventurada Virgen María, los Ángeles y los Santos en su contienda espiritual contra los espíritus malignos.

Joseph Cardenal Ratzinger. Prefecto

El Cardenal Arzobispo de Los Ángeles, Monseñor Rogelio Mahony y el Obispo de Stockton, Monseñor Donald W. Montrose, han dado las siguientes normas que deben aplicarse en los casos en que debe hacerse una oración de liberación de los espíritus diabólicos para poner en práctica las normas de dicha Sagrada Congregación:

a. *La eliminación de una situación de pecado si en ella se encuentra la persona afectada o su familia. El Sacramento de la Reconciliación sería un medio poderoso.*

b. *La Sagrada Eucaristía es también un medio poderosísimo. Si la persona tiene la debida disposición, debe ir a Misa diario y recibir la Comunión. Otra alternativa es hacer que la persona permanezca una hora delante del Santísimo Sacramento en la iglesia, todos los días hasta que la curación se realice.*

c. *Ayuno frecuente en favor de la persona afectada.*

d. *Rezar por la persona afectada, en particular la recitación frecuente del Santo Rosario y otras oraciones a Nuestra Señora. La petición final del Padre Nuestro "y líbranos del mal" es poderosísima. Oraciones a los Santos Ángeles, (en particular la oración a San Miguel Arcángel) son muy poderosas.*

e. *Utilizar agua bendita.*

En casos difíciles, todos estos medios deben usarse en conjunto. Dios oirá nuestras oraciones ofrecidas con perseverancia. En donde hay realmente una influencia diabólica presente, muchísima oración y penitencia son necesarias. Debemos tener el deseo de hacer el esfuerzo por amor al prójimo afligido. Sería una buena idea avisar al párroco de la persona acerca del problema que aparentemente existe.

Rogelio Mahony, Arzobispo de Los Ángeles
Donald Monstrose, Obispo de Stockton

Creo que la oración a San Miguel Arcángel de la que hablan los obispos en el No. 4 es la que se acostumbraba rezar al final de la Misa que dice así:

San Miguel Arcángel defiéndenos en la pelea y sé nuestro amparo y fortaleza contra la maldad y asechanzas del demonio. Hágale oír Dios su voz imperiosa como rendidamente te lo suplicamos, y tú Príncipe de la milicia celestial armado del Poder Divino, precipita en el infierno a Satanás y todos los demás espíritus malignos que andan por el mundo para la perdición de las almas. Amén.

En el No. 5 al hablar del uso de agua bendita, creo que se puede entender también del uso de todos los demás sacramentales, los cuales tienen mucho poder que han recibido por la autoridad de la Iglesia.

I. LA BUENA SUERTE

Me ha llamado mucho la atención que los seres humanos andamos obsesivamente atraídos por las cosas que dicen que traen la buena suerte. De aquí que es muy común ver sobre las puertas de las casas y de los negocios objetos como éstos: ajos, herraduras, maíz, penca de sábila, etc. Las personas llevan alrededor del cuello: elefantes, corales, azabaches, colmillos, manitas negras, signos zodiacales, etc., todo esto lo hacen por ignorancia y no se dan cuenta que detrás de estos objetos se esconde el maligno.

Dios nos promete darnos la buena suerte.

No se aparte el libro de esta Ley de tus labios,
medítalo día y noche; así procurarás obrar
en todo conforme a lo que en él está escrito,
y tendrás suerte y éxito en tus empresas:
Jos 1,7-8.

Si obras rectamente
tendrás éxito en todas tus cosas: Tb 4,6.

Guarda las observancias de YHWH tu Dios,
yendo por su camino, observando sus preceptos,
sus órdenes, sus sentencias y sus instrucciones,
según está escrito en la ley de Moisés,
para que tengas éxito
en cuanto hagas y emprendas:
1Re 2,3.

Hijo mío, no olvides mi lección, en tu corazón
guarda mis mandatos pues largos días
y años de vida y bienestar te añadirán:
Prov 3,1-2.

El poder de convencimiento que tiene Satanás es más de lo que podemos imaginar.

Una vez visité un almacén donde vendían artículos religiosos y al entrar lo primero que vi fue una imagen de la Virgen María hermosamente decorada con flores y luces. Felicité al dueño del negocio por su especial devoción a María, pues me había dicho que la invocaba pidiendo su protección.

Al salir vi un manojo de ajos con una herradura de caballo sobre la puerta del almacén. Le pregunté al dueño:

- *¿Esto qué quiere decir?*
- *Son objetos para la buena suerte, respondió.*
Mirando a la imagen de Nuestra Señora le dije:

- *¿Para qué la tiene a ella aquí?*
- *Para reforzar y tener más buena suerte.*

Casos como el anterior hay muchos. El maligno quiere desviar al pueblo de Dios y lo engaña para que no ponga su confianza y éxito en Dios, sino en las criaturas.

XI

CÓMO ORAR POR SANACIÓN

El doctor William Parker en su libro "La Oración en la psicoterapia" ha llegado a demostrar científicamente el valor y poder de la oración. También concluye que muchas de nuestras oraciones son mal hechas.

El apóstol Santiago dice: "*Piden y no reciben porque piden mal, con la intención de malgastarlo en sus pasiones*" *(St 4,3)*. San Agustín añade: "*Pedimos cosas malas, o si pedimos buenas, las pedimos mal*".

La pregunta que ahora nos haríamos sería: si oramos, tan mal, entonces ¿cómo se hace una buena oración? Habría muchas respuestas. Quizás tantas cuantos métodos de oración.

Pero creo que el primer paso para una buena oración es orar lentamente. Una oración hecha a la carrera es ya de por sí una oración mal hecha, aunque el método con que se haga sea excelente.

El doctor William Parker habla de que las mejores oraciones son las que se hacen de una manera adecuada, es decir, oraciones apropiadas para cada caso. En las oraciones hechas de una manera general, no se ve mucho la respuesta por parte de Dios. Por ejemplo: en una oración pidiendo "por la salud de los enfermos de los hospitales", no se ve mucho fruto a pesar de ser una buena oración y Dios la escucha, pero la persona que ora no va a crecer mucho en la fe al constatar poca respuesta de parte de Dios.

A. ORACIÓN POR SANACIÓN INTERIOR

No quiero aquí hacer todo un estudio sobre la sanación interior, ya hay libros muy buenos sobre el tema: "Sanación interior", del Obispo Alfonso Uribe Jararnillo, "La curación de los recuerdos", por Mathew y Dennis Lynn. Sólo me limitaré a dar unas cuantas ideas. Recordemos que las enfermedades espirituales o psíquicas son muchas pero se pueden resumir a cuatro, según el Dr. William Parker: miedo, odio, remordimiento y complejo de inferioridad (el complejo de superioridad, según él, no existe).

a. Cómo se hace una oración por sanación interior

Para que la oración por sanación interior dé su fruto:

- El enfermo debe pedirla

La persona que la pide debe abrirse y cooperar con la persona que ora. Por esta razón no se puede hacer por personas ausentes.

- Usar la imaginación

Debe ser una oración muy imaginativa y positiva. Santa Teresa de Jesús insiste en la necesidad de ver al Señor Jesús de una manera muy humana junto a sí. Es recomendable verlo resucitado con sus llagas, algo así como se apareció a los apóstoles el día de su resurrección y sonriente. Parece que no es muy conveniente imaginarlo crucificado y colgado de la cruz para esta oración de la sanación interior.

- Volver al pasado

Debe pedirse al Señor volver al momento en el cual se causaron las heridas. Así, con su presencia, se van sanando una por una todas y cada una de ellas.En este punto es donde el Padre Richard McAlliar ve que el ministerio de la liberación de espíritus diabólicos es principalmente un ministerio de sanación interior. Si se desarrolla cada vez más este ministerio vamos a cometer menos errores cuando se necesite realmente utilizar el ministerio de liberación diabólica.

Las heridas espirituales pueden ser en una persona como unos pequeños orificios donde el demonio (descrito como una gran araña con muchos tentáculos) se aferra a uno de ellos y no se deja expulsar. De aquí que es importante sanar cada herida para ir debilitando al demonio hasta que no tenga de donde agarrarse, y con la presencia de Jesucristo en la Sagrada Comunión, él por sí mismo se va.

- Localizar la herida

Es muy importante afinar la causa de las heridas espirituales, para que el Señor sane la causa y desaparezca el efecto. Para esto ayudan grandemente las preguntas: ¿Desde cuándo está enfermo? ¿Qué ocurrió en esa época?

- Oración frecuente

Algunas enfermedades como las alergias, asmas, gastritis, úlceras, colitis, artritis, eczemas, insomnios, pueden ser causadas por las enfermedades espirituales. Por esta razón un buen tratamiento para ellas es hacer una oración de sanación interior. En la mayoría de los casos hay mucho odio y, entonces, hay que orar por perdón.

En una ocasión una religiosa que sufría una eczema en los oídos vino a una oración de sanación. Contó que había cuatro años sufría de esa enfermedad y recordó que cuando comenzó había tenido un terrible disgusto con la Madre Superiora por haberle negado injustamente un permiso.

Desde entonces le apareció la eczema y el odio se albergó en su corazón. Al venir a la oración de sanación y darse cuenta de la necesidad de perdonar, con toda humildad perdonó y la eczema desapareció.

b. Modelo de una oración de sanación interior

La Sra. Bárbara Shlemon compuso la siguiente oración:

"Señor, Tú puedes volver atrás conmigo y caminar conmigo a través de mi vida desde el momento en que fui concebido.

Ayúdame, Señor en ese entonces: límpiame y líbrame de todo lo que pudo causarme dificultades en el momento de mi concepción. Tú estabas presente en el momento en que fui formado en el vientre de mi madre, líbrame y sáname de cualquier atadura de mi espíritu que haya podido llegarme por mi madre o las circunstancias de la vida de mis padres, cuando tomaba forma. Por esto, te doy gracias.

También te alabo, Jesús, porque además me estás sanado del trauma de nacer. (Muchas de nuestras madres tuvieron partos largos y dolorosos cuando nacimos, y esto tiene un efecto en la criatura).

Te pido Señor, que me cures del dolor de nacer y de todo lo que sufrí al nacer. Te doy gracias Señor, porque Tú estabas allí para recibirme en tus brazos cuando nací. Conságrame en ese mismo momento al servicio de Dios. Gracias, Jesús, porque esto se ha hecho.

Señor Jesús, te alabo porque en esos primeros meses de mi infancia Tú estabas conmigo cuanto te necesité. (Hay muchas personas que necesitan más amor del que recibieron de su madre, todo el amor que necesitaban, porque fueron separados por circunstancias que no pudieron evitarse. No recibieron el amor que les hubiera ayudado a sentir fuerza y estabilidad).

Hubo veces que necesité que mi madre me acunara en su pecho y me meciera y me relatara cuentos infantiles como solamente sabe hacerlo una madre. Señor; hazlo Tú en lo más profundo de mi ser.

Déjame sentir un amor maternal tan conmovedor, conforme y profundo que nada pueda jamás separarme de ese amor otra vez. Te doy gracias y te alabo, Señor, porque sé que lo estás haciendo ahora mismo.

(También hay personas que necesitaron más del amor paternal en sus vidas). Por cualquier razón que me haya sentido descuidado, rechazado, Señor, llena esa parte de mi ser con un profundo amor paternal que solamente viene de un padre. Aunque yo no esté consciente de haber necesitado unos abrazos fuertes y un "papito" que me amara y me diera seguridad y apoyo, dámelo Tú ahora. Gracias Señor, porque esto también lo estás haciendo.

(Según crecíamos, algunos de nosotros pertenecíamos a familias donde no había mucho tiempo para nosotros como individuos). He llegado a entender y a aceptarlo, pero una parte de mi ser en realidad nunca se sintió completa, nunca se sintió verdaderamente querida. Te pido hoy una curación de ese sentimiento. Señor hazme saber que soy tu hijo, una persona importante en tu familia, un hijo que amas de una manera muy especial.

Cúrame, Señor, las heridas causadas por las relaciones con mi familia, el hermano o hermana que no me entendía del todo o que no me demostraba amor y bondad debidamente. Una parte mía nunca se sintió amada por eso. Déjame ahora alcanzar el perdón a ese hermano o hermana. Quizás a través de los años, nunca he podido aceptarlos porque nunca me sentí verdaderamente aceptado por ellos. Dame un gran amor por ellos. Así que la próxima vez que los vea haya tanto amor que todo lo viejo haya pasado. Me habrás renovado. Te doy gracias por eso, Señor.

Según crecíamos, el primer trauma real en nuestra vida pudo haber sido cuando fuimos a la escuela por primera vez. Esa fue la primera vez que nos ausentamos del hogar y todo lo que ello representaba.

Para algunos de nosotros que éramos muy sensibles, tímidos, inseguros, esto fue difícil: ...quedarnos con, aquella maestra extraña, con compañeros extraños, en un lugar extraño.

Señor, de veras nunca me recuperé de esa experiencia porque había cosas que esperaban de mí y cosas que me herían mucho. Hubo maestras intratables y niños que no me mostraban amor o comprensión.

Te pido, Señor, que me sanes de todos esos años que pasé en el salón de clase, que me quites todo el dolor y sufrimiento que recibí en ese tiempo. Me retraje en ese entonces, Señor, y empecé a sentir miedo de hablar en grupos porque me habían ridiculizado, castigado, criticado en el salón. Dejé de hablar porque era demasiado doloroso. Señor, te pido que abras la puerta de mi corazón. Déjame relacionarme en grupos de una manera más abierta y libre de lo que he podido hasta ahora. Según se lleva a cabo esta curación, tendré la confianza y el valor de hacer lo que me pidas en toda situación. Gracias, Señor, porque creo que estás sanándome ya.

Señor, cuando entré en la adolescencia, empecé a experimentar cosas que me asustaron, me avergonzaron y me causaron dolor. Nunca he podido sobreponerme del todo a algunas experiencias que tuve cuando me estaba conociendo a mí mismo, lo que significa ser persona.

Te pido, Señor Jesús, que sanes todas las experiencias que tuve como adolescente, las cosas que hice y que me hicieron y de las que nunca me he sanado. Entra en mi corazón y quita todas las experiencias que me causaron sufrimiento y vergüenza. No te pido, Jesús, que borres esto de mi mente sino que lo transformes de manera que pueda recordarlo sin vergüenza, con acción de gracias.

Hazme comprender por lo que hoy están pasando los jóvenes porque yo mismo he pasado por ello: esa época de búsqueda y conflicto. Según me voy sanando, déjame ayudar a otros a encontrar la curación.

Señor, al salir de este período de mi vida, y al empezar a crecer en la vocación a que me llamabas, tuve dificultades. (Algunos fuimos llamados a ser esposos y esposas, algunos fuimos llamados al celibato, otros escogieron la soltería o ahora son viudos o divorciados. Ha habido dolor, ha habido sufrimientos; no hay carrera alguna en la tierra que no conlleve dificultades de ajuste, problemas que necesitaban curarse en la vida privada).

Te pido, Jesús que me cures en el estado de vida que me encuentro hoy, y todo lo que eso ha significado para el mundo que me rodea. (Esposos y esposas tienen cosas del pasado que se interponen en sus relaciones, heridas y sufrimientos que sólo pueden existir entre quienes tratan de vivir juntos y conocerse en una situación muy íntima).

Señor, sáname de estas cosas. Haz que mi matrimonio empiece a ser de nuevo lo que Dios quiere que sea. Toma en tus manos todas las heridas y sufrimientos del pasado, para que desde ahora en adelante este matrimonio sea limpio y comience de nuevo tan libre y tan sano como sea posible.

Gracias Padre, que mediante esta curación podemos llegar a ser la clase de marido y mujer que Tú pides que seamos.

(Los sacerdotes, religiosos y religiosas han tenido heridas que los han alejado de Jesús en vez de acercarlos a Él). Señor, ayúdame a sentir tal calor y fortaleza de amor en mí que nunca jamás dude yo, si el camino que sigo es al que me has llamado. Dame valor y confianza en la obra que me has llamado a hacer. Llévame adelante con propósito y metas nuevas.

Gracias, Padre, porque sé que estás haciéndolo".

c. Efecto de la sanación

Este ministerio de sanación interior no consiste en olvidar materialmente los acontecimientos que nos hicieron sufrir. Su curación consiste en que ya no vuelven a influir en nuestra vida: lo que antes nos hacía sufrir ya no vuelve a doler más, ya no se respira odio, tristeza ni venganza por las heridas. Ahora, la persona al recordarlo, siente una gran paz. Este es el signo de la auténtica curación interior.

La persona sanada, sana a otros. Por eso siembra paz y no división; apaga incendios; escucha y calla; la insultan y ora; la calumnian y bendice; la persiguen y no ataca.

Esta persona está viviendo lo que dice Jesús:

Amen a sus enemigos,
hagan bien a los que los odien:
Lc 6,27.

B. ORACIÓN POR SANACIÓN FÍSICA

a. Cuatro métodos

Hay varias maneras como se puede hacer una oración pidiendo la curación física. Me parece oportuno ofrecer diferentes métodos que varias personas han usado. Cada uno tiene elementos muy ricos:

- Agnes Sanford

Esta persona muy involucrada en el Ministerio de Sanación dice que se debe imaginar cada parte del cuerpo que está enferma como ya curada y ver que la luz divina de Jesús va penetrando y sanando cada célula. Ejemplo: Imaginarse que a cada célula de hígado o estómago con cáncer le está llegando la luz de Jesús y va destruyendo las células cancerosas y dejando el hígado completamente sano.

- Santo Domingo de Guzmán

Este santo acostumbraba orar por los enfermos tomando cada parte del cuerpo del enfermo y oraba por ella hasta que se sanaba sin tener en cuenta el tiempo que pudiera emplearse.

- Francis McNutt

Este predicador ora por ciertos grupos de enfermedades afines. Ejemplo: ora por las enfermedades de la cabeza, y entonces pide a Jesús que por los méritos de su corona de espinas, sane esa parte del cuerpo. En el caso de una persona con enfermedades de la sangre ora a la preciosa sangre de Jesús para que sane esa enfermedad por los méritos de su sangre derramada por nuestra salvación.

- Centrarse en la persona de Jesús

Me parece que un buen ejemplo de oración para pedir la curación física es la que da el ciego de Jericó cuando le dice: "*Señor, ten piedad de mí*" (Lc 18,38).

En mi ministerio, cuando oro por los enfermos me centro en la persona del Salvador. Sin entrar en muchos detalles, le pido que sane la parte afectada y sobre todo que cure la causa de la enfermedad que solamente Él conoce.

b. Cómo se hace una oración por sanación física

Al orar por sanación física no debieran faltar los siguientes elementos:

- Mirar a Dios

El libro del Eclesiástico dice: "*Hijo, en tu enfermedad no seas negligente, sino ruega al Señor que, él te curará*" (Eclo 38,9). Aquí veo el primer elemento en una oración. Volver la mirada al Señor, tanto el enfermo como los que oran, postrarnos humildemente ante él y reconocerle como el Señor. Muchos de los curados en los Evangelios venían a Jesús y se postraban en su presencia. Porque "*donde están dos o tres reunidos en mi nombre, allí estoy yo en medio de ellos*" (Cf. Mt 18,20).

- Pedir perdón

El libro del Eclesiástico dice: "*De toda culpa purifica el corazón*" (Eclo 38,10). No es fácil conseguir algo de alguien con quien estamos enemistados. Es normal que hay que hacer primero la amistad para pedir después lo que se desea. Deben pedir perdón todos. No sólo el enfermo, sino también los que oran con él y por él.

- Invocación al Padre o a Jesucristo

"Todo lo que pidan al Padre en mi Nombre se los concederá" (Jn 15,16). La oración va dirigida al Padre Celestial por medio de Jesucristo con el poder del Espíritu Santo.

- Las Llagas y la Sangre de Jesucristo

"Por sus llagas hemos sido sanados" (1Pe 2,24). Invocar el poder de las llagas y de la sangre de Jesús. Por los méritos que él nos ganó con el dolor de sus heridas. No hay dolor y sufrimiento que él no haya sentido por nosotros y que no hubiera llevado a la cruz.

- Dar gracias

Creyendo que la persona ha recibido lo pedido, damos gracias. Este elemento lo debemos desarrollar más. Es mucho lo que pedimos y muy pocas las gracias que damos. Nuestras oraciones son en su mayoría de petición y poco de acción de gracias. Dar gracias por la intercesión de la Santísima Virgen María y de los santos.

- Óleo santo e imposición de manos

Junto con la oración pueden emplearse el óleo santo como sacramental (ver libro: "Fuentes de Sanación" cap. V) y también la imposición de manos como un signo externo de amor y compasión hacia el hermano enfermo. El Señor Jesús dijo: *"Impondrán las manos sobre los enfermos y se pondrán bien"* (Mc 16,18). En algunos lugares esto puede causar más confusión que bendición y por lo tanto, al no ser necesario, puede omitirse.

- Modelo de una oración de sanación física

    Padre Santo, venimos a ti por medio de tu querido Hijo Jesucristo, nuestro Redentor y Señor. Dígnate perdonar nuestras debilidades e ingratitudes.

    Con el poder de tu preciosísima sangre purifícanos y límpianos de toda huella y mancha de pecado y haz que sus santísimas llagas sanen la causa de nuestras enfermedades.

    Querido Jesús, pon tus santas manos sobre nuestro hermano. Sabemos que tú estas haciendo lo que tienes que hacer. Te damos gracias por intercesión de la Santísima Virgen María, tu Madre y nuestra Madre y con la ayuda de todos los santos.

Esta oración es un simple modelo, pero no quiere decir que hay que hacerla palabra por palabra. Lo mejor es una oración espontánea mencionando los elementos anteriores.

c. Oración por personas difíciles

Esta oración se puede hacer por personas ausentes y no se necesita pedirles permiso. Es muy conveniente orar por ellos mientras duermen. El consciente es la parte de nuestro ser por medio del cual nos damos cuenta de todo lo que ocurre a nuestro alrededor. Cuando dormimos esta parte queda como muerta y el subconsciente permanece activo. Cuando oramos por una persona dormida, la oración llega hasta el subconsciente, sin impedimento del consciente, que es con la parte con que la persona se opone a recibir la oración.

Lo mismo puede decirse de personas alcohólicas o drogadictas. Mientras duermen por el exceso de la bebida o la droga es muy efectivo orar por la causa que los lleva al alcoholismo o a la drogadicción.

En la ciudad de Culiacán, México, había un matrimonio que tenía dificultades con su hijo de trece años. Por la noche oramos por él desde otra habitación. Al día siguiente, mientras tomábamos el desayuno se presenta el jovencito con muchos detalles de cariño para con sus padres (cosa que nunca hacía) y dice: *"He dormido anoche muy a gusto. He tenido un sueño de colores. Soñé que ustedes venían con el Padre Darío y me invitaban a un paseo en donde conocimos muchas cosas y pasamos muy contentos. Ahora siento mucho amor por ustedes".* Desde ese día terminaron las dificultades con ese jovencito.

d. Oración por los bebés

Es muy conveniente que los padres oren cuando se decidan a colaborar con Dios en la creación de una Nueva Vida, aceptándola y deseándola. El acto de amor así realizado, tiene maravillosos resultados en el espíritu y la vida del nuevo ser en el área de la seguridad, la alegría y los afectos.

Si una madre, al darse cuenta que estaba embarazada, llegó a pensar en aborto, miedo a perder su hijo, miedo a morir durante el nacimiento, etc., se debe orar para que el amor sanador de Dios penetre en el espíritu del bebé y le sane el rechazo o la desconfianza de la vida que recibió mientras se encontraba en el seno de su madre. Se puede orar mientras el niño duerme o simplemente desde otra habitación.

Un miembro de nuestra comunidad que conoció al Señor después del nacimiento de su primer hijo nos cuenta que éste es de naturaleza enfermiza y es raro verlo sano. En cambio, los hijos posteriores por los cuales oraron antes de nacer, son muy sanos y raramente se enferman.

e. Oración por los niños defectuosos

Cuando los padres oran por los hijos que han nacido con un defecto físico o mental, comienzan a experimentar una gran cercanía y amor del uno por el otro, al mismo tiempo una sanación del complejo de que es un castigo de Dios para ellos. La oración aporta al niño gran cantidad de curación en diferentes áreas, especialmente si se hace con lo que llamo "Tratamiento de oración" (Cap. VII, pág. 129).

En cierta ocasión vino un matrimonio a nuestro grupo de oración pidiendo ayuda para su hijo que era retrasado mental y muy difícil de controlar. Mordía a todas las personas que iban a la casa. Esta pareja se había tenido que aislar de todos los parientes y amigos y estaban enloqueciendo al verse tan solos.

El esposo era un musulmán de Irán y la esposa una católica colombiana. El papá del niño me dijo:

- *Si mi hijo se cura, me vuelvo cristiano.*

- *Yo no sé si su hijo se va a curar o no, le dije, pero*

con mucho gusto vamos a hacer una oración a Jesucristo para que él haga lo que a bien tenga.

Nunca más volví a saber nada de estos esposos. Algunos años más tarde, me encontré con ellos en uno de los trenes que van por debajo de la tierra en Nueva York y ella recordándome su caso me dijo:

- *Nosotros hemos hecho lo que usted nos indicó: todas las noches oramos unos minutos sobre nuestro hijo y hemos visto un cambio enorme. Ya no muerde a nadie. Ya podemos recibir a nuestros parientes y amigos. Podemos sacarlo a la calle.*

Señalando con su mano me mostró a su hijo, un joven de unos 18 años, que iba sentado en uno de los asientos del tren, muy calmado y pacífico.

f. Oración por los niños adoptados.

Es importante que los padres adoptivos oren por todas las etapas del hijo adoptado: concepción, embarazo, nacimiento y primeros años de su vida. También por todas las taras que pueda haber recibido de sus antepasados.

Con los hijos adoptivos es muy importante el "Tratamiento de amor" (ver pág. 39) para sanar las heridas de rechazo y abandono que sufrieron la mayoría de ellos. Fuente de gran curación es el que los padres adoptivos oren por los padres verdaderos, naturales.

XII
CÓMO VISITAR A UN ENFERMO

La pastoral de los enfermos no termina con el sólo hecho de administrar el Sacramento de la "Unción" a la persona que lo pide. El campo de la salud es inmenso. Va desde la visita cariñosa y amigable a los enfermos de la comunidad, hasta el diálogo que se debe entablar con los más alejados y que pertenecen a la misma comunidad.

Las preguntas que una persona se hace ante la sorpresa de la enfermedad crean en la psicología del enfermo un momento oportuno para el encuentro con Dios. Las personas que visitan a los enfermos deben ser muy cuidadosas en el diálogo para no presionar de ninguna manera al enfermo a través de miedos o temores.

Muchas veces no sabemos sobre qué dialogar. Lo más importante en el diálogo es hacer comprender al enfermo que Dios lo ama y que la enfermedad tiene algún fin que quizá no entendemos, pero que a su momento debido lo comprenderemos. Sería muy conveniente recorrer con el enfermo los tres posibles motivos del sufrimiento, y del dolor de que habló el Papa Juan Pablo II en su exhortación *"Salvifici Doloris"* sobre el dolor humano (véase Cap. II, pág. 35).

Haciendo énfasis en el sufrimiento como prueba de fe que lleva a una conversión o entrega total al Señor más bien que como un castigo por el pecado. Es muy importante ser muy delicados en este último aspecto porque al trauma de la enfermedad podríamos agregarle un trauma de culpabilidad.

Los equipos de personas que se van formando para orar y visitar a los enfermos, deben poner atención al trabajo y contacto que debe realizarse con:

- El personal del hospital, médicos y enfermeras, personal de la administración y hasta con personas que tienen posiciones humildes como los porteros, vigilantes y personal de aseo.

- Los parientes del enfermo que necesitan una atención especial.

- El enfermo mismo que es el primero que necesita ser visitado y ayudado.

Veamos cada parte separadamente.

A. MINISTERIO EN EL HOSPITAL

Ante todo hay que tener un gran respeto por las creencias religiosas de los enfermos y de los que trabajan en el hospital y en colaboración con ellos, hacer programas de promoción humana y de promoción religiosa.

En el aspecto de la promoción humana, hay que ayudar al enfermo a enfrentar el futuro que se le presenta con sus problemas personales, familiares y sociales.

En el aspecto de la promoción religiosa se debe comenzar a proclamar a Jesucristo por medio de celebraciones, novenarios, fiestas del lugar, etc. en los diferentes dormitorios, salones y edificios del hospital. Los mismos enfermos son los primeros en querer colaborar y asistir, como también los parientes de los enfermos y quienes los ayudan y asisten en el hospital.

De una manera muy especial se debe programar y preparar con una buena catequesis el día y lugar para celebrar el Sacramento de la Unción de los Enfermos haciendo énfasis en que es un sacramento para curación.

Estas celebraciones comunitarias ayudan a sanar la soledad que sufren los enfermos en la mayoría de los casos, y beneficiar también a las personas que están presentes visitando a los enfermos, siendo motivo de un acercamiento a Dios al palpar su presencia por medio de un clima de amor y fraternidad.

B. MINISTERIO CON LOS FAMILIARES

Personalmente creo que los parientes del enfermo deber ser notificados de la enfermedad y posible muerte de su ser querido. Este momento es oportuno para llevar a los parientes a que hagan una oración generosa. Es necesaria una buena catequesis acerca de la necesidad de hacer esta oración (véase en el Capítulo VI, el tema "La oración generosa" pág. 119).

La oración que los parientes hacen por su ser querido enfermo es fuente de mucha curación. Por esta razón, en el trabajo con ellos se debe enseñar y practicar la oración generosa todos los días. Es decir, hacer que los parientes hagan con el enfermo un tratamiento de oración de los unos con los otros. Un buen equipo de oración por los enfermos no sólo ora por ellos, sino que enseña a orar y a que lo sigan haciendo los parientes. Algo así como el médico que da las primeras medicinas y el enfermo debe continuar por su cuenta en su casa el tratamiento.

Un punto clave en este ministerio es llevar a los parientes a una reconciliación con el familiar enfermo. Los miembros de las familias, a veces se han causado heridas ofendiéndose los unos a los otros. Esta circunstancia de la enfermedad es un momento oportuno para reconciliarse.

A los miembros de la familia que ya se han perdonado se les debe dar un seguimiento para que lleguen a la plenitud de la sanación interior.

C. MINISTERIO CON EL ENFERMO

En la visita a un enfermo deben observarse los siguientes puntos:

a. Hacer ambiente de oración

Recordemos lo que hizo Jesús cuando fue a resucitar a la hija de Jairo:

No permitió que nadie le acompañara,
a no ser Pedro, Santiago y Juan,
el hermano de Santiago.
Llegan a la casa del jefe de la sinagoga
y observa el alboroto, unos que lloraban
y otros que daban grandes alaridos.
Entra y les dice: "¿Por qué se alborotan y lloran?
La niña no ha muerto; está dormida".
Se burlaban de él, pero él después de echar fuera
a todos, toma consigo al padre de la niña,
a la madre y a los suyos,
y entra donde estaba la niña: Mc 5,37-40.

Al orar para resucitar a la pequeña, nótese claramente cómo el Señor Jesús escoge un grupo de personas, no a todos, y cómo al ver el alboroto de la casa con la gente que gritaba y lloraba hizo salir a los demás. En otras palabras, lo que el Señor Jesús hizo fue crear un ambiente de oración, de recogimiento y silencio al hacer salir a los que causaban el alboroto.

Al visitar un enfermo, debemos crear un ambiente de oración, invitando muy delicadamente a apagar los televisores, la radio y a suspender cualquier otra cosa que se esté haciendo. Al mismo tiempo se debe invitar a todos los parientes a tomar parte en la oración, desde los parientes más cercanos: esposa, hijos, etc. hasta los amigos y trabajadores; la empleada del servicio doméstico, el chofer, el jardinero, hasta los niños deben tomar parte en la oración. Todo dentro de un ambiente de fe y recogimiento.

b. Catequesis sobre el sufrimiento

Esta catequesis debe darse tanto al enfermo como a los parientes, pero separadamente. Como es natural, ninguna persona, a no ser que tenga una buena instrucción, se atreverá a pedir la muerte para un ser querido. Todos desean que se sane, como es lo propio. Pero esta catequesis debe llevar a pedir lo que Dios quiera: Vida, por una curación maravillosa, o muerte dejando en todos una gran paz.

Creo que las personas que visitan a los enfermos si se limitan a pedir solamente por la curación física y espiritual y no tienen en mente la idea y el pensamiento de que debido a la gravedad de la enfermedad la persona puede morir, no están prestando un buen servicio al enfermo ni a sus parientes, pues lo que están haciendo es alimentando la idea y la esperanza de que la persona se va a sanar. Si esto no ocurriera, se va a formar un gran resentimiento y desilusión contra Dios, quien aparentemente los ha defraudado.

Una vez fuimos a un hospital a visitar a una religiosa que se encontraba muy grave con un cáncer terminal. Como se trataba de una religiosa, era muy fácil ayudarla para que hiciera una oración generosa, pidiendo a Dios le diera lo que él quería para ella en esa circunstancia.

Al llegar al momento de decir: "Señor, si quieres llevarme contigo dame muerte, o dame vida, si quieres darme salud", la religiosa aclaró: "Padre, no quiero vida; estoy lista para irme. Quiero morir".

Entonces le dijimos: "Hermana, no sabemos lo que Dios quiere para usted en este momento. Pida vida, si Dios quiere glorificar su Nombre haciendo algo maravilloso ahora mismo". Entonces ella añadió: "Que se haga como quiera Dios".

Ella sanó de su cáncer. Ya han pasado varios años de esta oración generosa, y esta religiosa se encuentra perfectamente sana.

c. Compartir testimonios personales

Consiste en contarle al enfermo algún testimonio de una curación que Dios haya hecho en nuestra vida, bien sea en el orden espiritual o físico, con el fin de edificar y levantar su fe en Jesucristo.

Nótese que se deben compartir testimonios propios, más que los que hayamos escuchado de otras personas: pues al relatarlos transmitiremos con más seguridad, autoridad y confianza el amor que nos ha mostrado el Señor.

Esto es lo que yo hago al relatar nuestro accidente de Panamá.

d. Leer la Palabra de Dios

Ayuda mucho a levantar la fe del enfermo, la lectura de pasajes bíblicos donde se manifieste que la voluntad de Dios es que estemos sanos; y pasajes donde se muestre a Jesucristo sanando a todos los que se acercaban a él, tanto física como espiritualmente.

A continuación se citan algunos de los numerosos textos claros, amplios y positivos que pueden ser muy apropiadas para leer durante la visita:

Ex 15,23-26.	Ex 23,20-25.	Num 21,4-10.
Dt 7,12-15.	Sal 103(102),3.	Sal 107(106),17-21.
1s 53,4-5.	Jr 17,14.	Mt 4,23.
Mt 8,16-17.	Mt 10,7-8.	Mt 12,15.
Mt 15,29-31.	Mc 6,55-56.	Mc 16,15-20.
Lc 4,16-21.	Lc 10,5-17.	Jn 10,10-11.
Jn 14,12-14.	Hech 3,1-10.	Hech 10,38.
St 5,14-16.		

e. Arrepentimiento del pecado

La palabra de Dios insiste en que hay necesidad de purificar el corazón de toda culpa (Cf. Eclo 38,10). También el apóstol Santiago lo recuerda:

Confiesen, pues, mutuamente sus pecados
y oren los unos por los otros,
para que sean curados:
St 5,16.

Debe pedir perdón, no sólo el enfermo, sino también todos los que oran por él y con él. El apóstol San Pablo es muy claro en la necesidad de estar limpios para poder ser usados por el Señor.

Si, pues, alguno se mantiene limpio
de estas faltas, será un utensilio para uso noble,
santificado y útil para su Dueño,
dispuesto para toda obra buena:
2Tim 2,21.

Si entre los presentes hay un sacerdote, debe invitarse muy delicadamente al enfermo a que haga una confesión sacramental. Pero si esto no es posible, por el momento, hágase un acto de perfecta contrición de corazón con la intención de confesarse lo más pronto posible. Para este fin, puede hacerse cualquier oración que lleve a un arrepentimiento sincero.

También se debe hacer una renuncia muy concreta y específica a los engaños diabólicos de brujería, espiritismo y superstición. Se deben hacer tantas renuncias cuantas veces se hubiese hecho una misma acción por engaño diabólico. El ejemplo lo dio el Señor Jesús cuando a las tres negaciones de Pedro le invitó a hacer tres profesiones de fe (Cf. Jn 21,15-19).

f. Sanación física

La parte final, durante la visita al enfermo, termina con una oración de sanación física (véanse los Capítulos VI, pág. 119 y XI, pág. 194, sobre esta oración).

XIII

ALGUNAS PROMESAS
DE JESUCRISTO

En el ministerio de la sanación he ido penetrando cada vez más y más en las promesas que el Señor Jesús hizo a todos los que creemos en Él. *"Pidan y se les dará"*.

Sin embargo, muchas personas, no obstante su buena voluntad, no entienden ni aplican adecuadamente las promesas del Señor. Por esta razón se desaniman al no obtener la respuesta que ellos esperaban. Su fe se desmorona y se siente completamente defraudada.

Pusieron su confianza en el Señor y les falló. Sin embargo, el problema está en que no han comprendido el plan de Dios ni el sentido de sus promesas.

A. CONFIANZA EN SU FIDELIDAD

Lo primero que el Señor nos pide es confiar plenamente en Él:

Descarga en YHWH tu peso, y él te sustentará;
no dejará que para siempre zozobre el justo:
Sal 55,23.

Confíenle todas sus preocupaciones, pues él cuida
de ustedes: 1Pe 5,7.

Pues si a la hierba del campo, que hoy es
y mañana se echa al horno, Dios así la viste,
¿no lo hará mucho más con ustedes,
hombres de poca fe?
No anden, pues, preocupados diciendo:
¿Qué vamos a comer?, ¿Qué vamos a beber?,
¿Con qué vamos a vestirnos?
Que por todas esas cosas se afanan los gentiles;
pues ya sabe su Padre celestial que tienen necesi-
dad de todo eso.
Busquen primero su Reino y su justicia,
y todas esas cosas se les darán por añadidura.
Así que no se preocupen del mañana:
el mañana se preocupará de sí mismo.
Cada día tiene bastante con su propio mal:
Mt 6,30-34.

En este pasaje, el Señor Jesús nos llama *"gente de Poca fe"* porque nos falta la confianza absoluta. Esa fe, que también es un don de Dios, crece en la medida en que crecemos en el conocimiento de sus palabras, pues eso es precisamente la fe: el crédito y el asentimiento prestado a la Palabra de Dios revelada.

Un día un sacerdote me decía:

Estoy comenzando a creer que es verdad lo que me Dios me dice en la Escritura: "que me quiere como a un hijo y me promete lo mismo que a su Hijo Jesús".

Yo me extrañé que me dijera que apenas, en ese momento, empezara a creer. Entonces añadió:

"Si yo pudiera creer de veras en la Palabra del Señor, aunque sólo fuera tanto como a veces creo en las promesas de otros hombres, ya me habría muerto de la felicidad. ¿Quieres más prueba de que nuestra fe no es ni siquiera como el grano de mostaza? Sin embargo, ese es el único pecado que no acusamos nunca ante Dios, porque no creemos cometerlo y aún somos capaces de decir: "Yo tengo mucha fe". Lo que más nos halaga es que nos quieran, sobre todo las personas importantes. Viene Jesús y nos dice que su Padre nos ama tanto como a Él, y que Él nos ama como lo ama su Padre. Nosotros lo escuchamos y seguimos tan indiferentes. ¿Te sorprende, pues, que te diga que apenas ahora estoy empezando a creer?".

B. CONFIANZA EN SU MISERICORDIA

Sea tu amor, YHWH, sobre nosotros,
como está en ti nuestra esperanza: Sal 33,22.

El verso final de este salmo contiene una admirable enseñanza: Así como Dios nos perdona en la medida que nosotros perdonamos, así también Él nos hace misericordia en la proporción en que la esperamos. El sentido de las palabras de Jesús cuando dice: *"Que se haga según tu fe"* (Cf. Mt 9,29).

De aquí la importancia máxima que tiene el creer en la misericordia de Dios, fruto del amor con que nos ama. Pero es muy difícil creer en esta maravilla si no conocemos el Evangelio. Por esta razón San Juan afirma:

Nosotros hemos conocido el amor
que Dios nos tiene, y hemos creído en él:
1Jn 4,16.

Es muy difícil creer en el amor de Dios si antes no se ha sentido, experimentado y conocido ese amor misericordioso.

Un conocido refrán dice: *"obras son amores y no buenas razones"*. Si una persona nunca recibe detalles de amor de alguien que le dice que le ama, nunca creerá en ese amor de palabras. Dios sí nos ha dado pruebas de que nos ama:

La prueba de que Dios nos ama es que Cristo,
siendo nosotros todavía pecadores,
murió por nosotros:
Rom 5,8.

Los santos y los místicos de la Iglesia nos han dejado la experiencia del amor misericordioso de Dios. Santa Teresa de Jesús, la santa de mi corazón, nos dejó escrita una hermosa poesía:

Nada te turbe. Nada te espante.
Todo se pasa. Dios no se muda.
La paciencia todo lo alcanza.
Quien a Dios tiene nada le falta
Sólo Dios basta.

Sor Josefa Menéndez, una religiosa española muerta en olor de santidad nos relata en su libro titulado: "Un llamamiento al Amor" que, el Sagrado Corazón se le apareció el 29 de agosto de 1923 y le dijo:

"Josefa, no es el pecado lo que más hiere mi corazón sino la indiferencia en que permanecen después de cometerlo en vez de venir a refugiarse en mi misericordia."

Solamente una persona que ha experimentado y sentido lo que es el amor de Dios al refugiarse en su misericordia se atreve a exclamar lo que dice el salmista:

Haz gala de tus gracias, tú que salvas
a los que buscan a tu diestra
refugio contra los que atacan.
Cuídame como a la niña de los ojos,
escóndeme bajo la sombra de tus alas:
Sal 17,7-8.

Solamente uno que se siente amado por Dios, tiene la osadía de pedirle que le "cuide como a la niña de los ojos, bajo la sombra de tus alas".

En el citado accidente que sufrimos en Panamá, después de damos los primeros auxilios en el hospital de una población llamada Chorrera, fuimos llevados al Hospital de Santo Tomás en la ciudad de Panamá donde recibimos la debida atención médica.

Durante el camino me venían dudas acerca de la posibilidad de que mi hermana Luz Helena pudiera vivir Por un oído como que escuchaba una voz que me decía: "Tu hermana está muy grave, no puede vivir, morirá"

Pero por el otro oído como que escuchaba una voz que me decía: "Toma en serio las promesas del Señor Jesús. Son para ti. Hazlas tuyas, aquí y ahora".

Por un lado me asaltaba la duda, por otro recordaba las palabras del apóstol Santiago:

Pero que la pida con fe sin vacilar,
porque el que vacila es semejante
al oleaje del mar, movido por el viento
y llevado de una a otra parte.
Que no piense recibir cosa alguna
del Señor un hombre como éste: St 1,6-7.

Entonces con voz muy fuerte imperé al espíritu de duda y lo reprendí, ordenándole retirarse por el poder de la Sangre, las Llagas y el Santo Nombre de Jesús. Viajaban con nosotros en la ambulancia unos médicos, enfermeras y algunos policías. Cuando abrí los ojos vi que todos ellos me estaban mirando con unos ojos asustadísimos y extrañadísimos pues creían que por los fuertes golpes sufridos en la cabeza yo estaba desvariando.

C. TOMAR EN SERIO SUS PROMESAS

Hay que aprender a tomar en serio las promesas de Dios. Cuando Dios promete, Dios cumple. Solamente tenemos que darle la oportunidad de que cumpla sus promesas por el asentimiento amoroso de nuestra voluntad. Una norma que puede ayudar mucho es la de creer esperando, y se realizará ciertamente al tiempo de Dios, no al nuestro: caminar al paso de Dios. La Sagrada Escritura está llena de ejemplos de hombres y mujeres que creían esperando.

- Abraham

Sería suficiente citar al padre de la fe a quien Dios le había prometido un hijo y le hizo esperar un largo tiempo antes de dárselo. Después le pide que lo ofrezca en sacrificio y Abraham obedece con donación total. Ya sabemos cómo Dios actuó ante fe tan generosa. Abraham fue bendito.

- Los tres jóvenes en el horno

El libro de Daniel en el capítulo 3 narra hermosamente el heroísmo de los tres jóvenes que no obedecieron la orden del rey Nabucodonosor de adorar la estatua de oro que había hecho. Frente a las amenazas de echarlos al horno, ellos contestaron:

Nuestro Dios a quien servimos tiene poder
para librarnos y sabemos que nos librará:
Dan 3,17.

- María

El modelo perfecto de tomar en serio las promesas divinas lo encontramos en María, la madre de Jesús.

Ella creyó al ángel. Confió en lo imposible: ser madre sin unirse a ningún hombre, que su hijo sería "Hijo del Altísimo". Ella es bienaventurada sobre todo por haber creído (Cf. Lc 1,43). Cree en su Hijo aún cuando está crucificado en el Calvario.

El capítulo 11 de la Carta a los Hebreos hace mención de innumerables personajes del Antiguo Testamento que por fe esperaban en las promesas de Dios.

Era tal la fe y la esperanza en las promesas que aún sin haber visto ni recibido nada, hasta morían sin ellas, pero creyendo ya haberlas conseguido, las veían de lejos y se llenaban de gozo.

En la fe murieron todos ellos,
sin haber conseguido el objeto de las promesas:
viéndolas y saludándolas desde lejos
y confesándose extraños
y forasteros sobre la tierra: Heb 11,13.

Dios nunca se deja ganar en generosidad. Si nosotros le damos nuestro asentimiento por la fe, él nos devolverá de acuerdo con nuestra misma fe y de acuerdo a su fidelidad y amor.

D. PROMESAS Y SANACIÓN

Toda la Biblia es un libro de promesas para los que creen. Sin embargo, es muy interesante analizar lo que Jesucristo nos dijo en cuanto a promesas de sanación; en todas y cada una de las siguientes promesas aparecen elementos comunes:

- Lo primero es fe en Jesucristo: *el que crea.*
- Luego, el resultado de esa fe está en futuro: *"hará", "impondrá", "tendrá", "sanará".*

Nunca aparece el Señor Jesús prometiendo que porque creen "tienen" en el presente, sino "tendrán" en el futuro. La consideración de este detalle es de suma importancia para evitar exageraciones, fanatismos y destrucción de la fe.

El que crea en mí, hará él también las obras
que yo hago, y hará mayores aún,
porque yo voy al Padre: Jn 14,12.

Es una de las promesas más asombrosas que Jesús hace a la fe viva. Aparecen los dos elementos comunes: la fe en Jesucristo y el efecto en futuro.

Si me piden algo en mi nombre, yo lo haré:
Jn 14,14.

El Señor Jesús promete que oye y hará cualquier cosa que pidamos en su Nombre. Están los dos elementos comunes: la fe en Jesucristo y el efecto en futuro.

Lo que pidan al Padre
se los dará en mi nombre:
Jn 16,23.

En esta promesa Jesús aparece comprometiendo a su Padre que dará (futuro) lo que se pida (presente) en su Nombre.

San Agustín aclara que cuando desconocemos el infinito amor del Padre por su Hijo único para concederle cualquier cosa, nuestra oración se torna ineficaz, pues estamos pidiendo en nombre de un Jesús desfigurado que no es el verdadero Hijo de Dios.

Y la oración de la fe salvará al enfermo,
y el Señor hará que se levante,
y si hubiera cometido pecados,
le serán perdonados:
St 5,15.

El Señor salvará y levantará al enfermo como respuesta a la oración de fe. Aparecen igualmente los dos elementos: la fe en Jesucristo y el efecto en futuro.

Estas son las señales
que acompañarán a los que crean:
en mi nombre expulsarán demonios,
hablarán en lenguas nuevas,
agarraran serpientes en sus manos
y aunque beban veneno no les hará daño;
impondrán las manos sobre los enfermos
y se pondrán bien: Mc 16,17-18.

La fe viene de la predicación, y la predicación,
por la Palabra de Cristo: Rom 10,17.

Aquí también están los dos elementos comunes:
la fe en Jesucristo y el efecto en futuro.

Por eso les digo: todo cuanto pidan en la oración,
crean que ya lo han recibido y lo obtendrán:
Mc 11,24.

La fe viva, que no vacila en el corazón, es eficaz.
En Mc 9,19 el Señor Jesús hace un terrible reproche
a la incredulidad de sus discípulos. El es suprema-
mente claro en la petición porque pide creer ya y a
condición de esto, "se les dará". Nos pide un acto
de fe en que ya hemos recibido lo pedido, y así será
¿cuándo? Cuando él quiera; ¿cómo? Como él quiera. La mejor explicación de esta promesa está en 1Jn
5,15: *"Y si sabemos que nos escucha en lo que le pedimos,*
sabemos que tenemos conseguido lo que hayamos pedido".
Y el salmo 37,4 dice: *"Pon todas tus delicias en el Señor*
y él te dará cuanto desea tu corazón".

Como en todas las promesas anteriores aparecen
aquí también los dos elementos comunes: la fe en Jesucristo y el efecto en futuro.

E. FE-CARISMA Y FE-HÁBITO

Una vez estaba presente en una oración por los enfermos. La persona que dirigía la oración se acercó a una persona que estaba en silla de ruedas y le dijo: *"En el nombre de Jesucristo, aleluya; levántate, aleluya; ahora mismo, aleluya"*.

Varias veces le repetía esto y cada vez con voz más fuerte. Mientras tanto la gente gritaba, lloraba y no pocos forzaban al enfermo a caminar. Para entonces la histeria era ya casi colectiva. Entonces, mirando al paralítico le preguntó: *"Y tú, ¿por qué no caminas?"*. El enfermo le respondió: *"Yo no sé. Eso es lo que quiero y no puedo"*.

Creo que a veces se dan este tipo de exageraciones porque hay personas que creen que pueden hacer lo mismo que hicieron Juan y Pedro con el paralítico que estaba sentado junto a la Puerta Hermosa y que fue sanado a la orden dada por el apóstol Pedro (Cf. Hech 3).

Muchas personas confunden la fe-carisma, con la fe-hábito.

La fe-carisma es una gracia que Dios concede en un instante determinado para un acto determinado. Esta fe-carisma llega, actúa y pasa. Es una seguridad y una certeza que se tiene para actuar en el nombre y con la autoridad de Jesús en este momento y en esta circunstancia. La donación de esta gracia por parte Dios es más discreta, menos común y si esta gracia no se ha recibido y si se quiere usar esta fe, sin haberla recibido de Dios se puede cometer un gran daño.

Esta fe-carisma es más conocida con el nombre de fe actual.

La fe-hábito, como su misma palabra lo dice, es la que habita de una manera permanente en la persona y se recibe en el bautismo y se desarrolla a través de toda la vida por medio de obras buenas y actos de fe.

Creo que es de esta fe-hábito de la que el Señor Jesucristo hablaba cuando en todas las promesas pide fe en Él.

Una vez los apóstoles le preguntaban a Jesús qué debían hacer para llevar a cabo las cosas de Dios, Jesús les contestó:

"La obra de Dios es que crean
en quien él ha enviado":
Jn 6,29.

Lo que el Padre quiere que hagamos es la obra por excelencia: *la obra de creer en su enviado Jesucristo.*

CONCLUSIÓN

Estamos llamados a ser santos e inmaculados en su presencia en el amor. En esto consiste la perfecta sanación y lo más maravilloso es que podemos ser instrumentos para que otros también lo logren.

Jesucristo vino a curar y esto es lo que hizo hace 2000 años y sigue realizando por todas partes. Yo soy testigo que Él sigue curando a los enfermos el día de hoy.

¡Gloria a su Nombre!

Si con la lectura de este libro
ha recibido alguna bendición del Señor,
favor de comunicarlo al autor:

Rev. Darío Betancourt,
86-29 55th Avenue,
Elrnhurst, N. Y. 11373.
U.S.A.

Este libro se terminó de imprimir
en Guadalajara, Jalisco, México.